COED DU

Gwenno Hughes

Gomer

I blant Ysgol Pencae, Caerdydd

Cyhoeddwyd gyntaf yn 2012 gan
Wasg Gomer, Llandysul, Ceredigion, SA44 4JL.
www.gomer.co.uk

ISBN 978 1 84851 487 4

Dymuna cyhoeddwyr gydnabod cefnogaeth
Adrannau Cyngor Llyfrau Cymru.

Argraffwyd a rhwymwyd yng Nghymru gan
Wasg Gomer, Llandysul, Ceredigion.

1

'Shh, blant!' cyfarthodd Miss Cook, gan guro bonyn ei phensel yn ddiamynedd ar y ddesg. 'Byddwch dawel! Nawr! Mae gen i newyddion drwg i'w rhannu gyda chi.'

Tawelodd y dosbarth yn syth bìn.

Newyddion drwg.

Roedd yn gas gan y disgyblion y geiriau hynny. Roedden nhw wedi eu clywed nhw dro ar ôl tro ers i'r Rhyfel ddechrau. Roedden nhw'n gyrru ias drwy bob un ohonyn nhw, yn enwedig gan fod pedwar o fois ifanc pentre Bont-ddu eisoes wedi eu lladd wrth ymladd yn yr Almaen. Daliodd y dosbarth cyfan ei wynt rhag ofn bod Miss Cook yn mynd i gyhoeddi fod yna bumed. Ond drwy lwc, nid newyddion felly oedd gan Miss Cook heddiw.

'Mae peipen ddŵr y gegin wedi byrstio,' meddai. 'All y gogyddes ddim neud cinio i chi, wedyn mae gen i ofn bydd yn rhaid i chi i gyd fynd adref…'

Lledodd ton o ryddhad drwy'r stafell. Newyddion drwg? Nid newyddion drwg oedd rhywbeth fel hyn! Mwyaf sydyn, roedd disgyblion Ysgol Bont-ddu yn gynnwrf i gyd. Cafodd llyfrau eu cau, tacluswyd papurau a phensiliau ac mewn chwinciad, roedd disgyblion yr ysgol gyfan yn martsio mas drwy'r drws ffrynt i'r heulwen.

Roedd hi'n ddiwrnod cynnes o fis Mawrth, a'r haul yn sbecian drwy'r cymylau wrth i'r awel eu coglais. Wrth i Moi Morris anelu tuag adref drwy lidiart yr ysgol, roedd e'n amau'n gryf y byddai ei fam yn gwneud iddo wyngalchu'r tŷ bach yng ngwaelod yr ardd gan fod ganddo ddiwrnod bant. Roedd wedi dechrau ar y dasg honno ddydd Sadwrn, ond roedd y glaw wedi'i rwystro rhag bennu'r gwaith. Doedd dim peryg o hynny heddiw gan fod yr haul yn tywynnu fry yn y nen ac wrth i Moi ystyried cymaint roedd e'n casáu gwyngalchu, gallai deimlo rhywun yn chwalu ei gyrls lliw castan.

'Iawn, boi?'

Crychodd Moi ei drwyn smwt wrth i Dyfrig, ei frawd mawr, dynnu arno.

'Dyfrig! Paid â neud hynna!'

'Wwww! Rhywun yn biwis!'

'Jest paid!'

Chwarddodd Dyfrig, ei lygaid gwyrddlas hanner lleuad yn llawn direidi. Yna gofynnodd y cwestiwn hollbwysig.

'Wel, beth wnawn ni gyda'n prynhawn bant 'te?'

'Mynd adref...'

'Beth?' meddai Dyfrig, gan dynnu ei sbectol weiren denau a'i glanhau. 'Os awn ni adref gawn ni gant a mil o dasge i neud!'

Byth ers i'w tad fynd i'r rhyfel, roedd eu mam wedi pwyso'n drwm ar y bechgyn, er mai dim ond deg oed oedd Dyfrig a Moi flwyddyn yn iau. Nhw oedd yn gorfod palu, chwynnu a phlannu'r ardd. Nhw hefyd oedd yn gorfod glanhau'r grât, torri papur newydd yn sgwariau i greu papur tŷ bach a hel coed tân. Roedd eu mam wastad yn ffeindio rhyw dasg iddyn nhw ei gwneud. Dyna pam roedd Dyfrig yn ysu am gael diwrnod i'r brenin.

Wrth i'r plant lifo i'r ffordd gul oedd yn arwain o'r ysgol i'r pentref a'i boddi dan sŵn chwerthin a chadw reiat, ffrwtiodd tractor Merched Byddin y Tir tuag atyn nhw. Gan fod gwŷr ifanc y pentref i ffwrdd yn y rhyfel, y merched oedd yn gorfod trin y tir. Roedden nhw newydd orffen ailgodi'r wal oedd wedi chwalu ar ffin y pentref. Pan welodd pawb y tractor, fe ffrwydron nhw'n gymysgedd o fonllefau llawn cyffro a chwifio breichiau brwd wrth iddyn nhw erfyn am lifft. Roedd yr ysgol hanner milltir o'r pentref a byddai reid yn nhrelar y tractor yn arbed eu traed. Sylwodd Moi a Dyfrig yn sydyn mai Annie, eu modryb, oedd yn gyrru. Hi oedd chwaer ieuengaf eu tad a goleuodd ei hwyneb bochgoch wrth iddi weld brwdfrydedd y plant.

'Y cynta i'r felin gaiff falu,' meddai, gan wthio cudyn o'i gwallt melyn modrwyog yn ôl tu cefn i'w chlust, torchi llewys ei hofarôl werdd ac amneidio ar y plant i ddringo i'r trelar. Carlamodd y plant tuag ato gan nad oedd lle i bawb. Wrth i Moi geisio gwthio'i ffordd i'r blaen, teimlodd rhywun yn cydio yn ei siwmper ac yn rhoi plwc iddi a hedfanodd tuag yn ôl.

'Paid â bod yn ddiflas,' sibrydodd Dyfrig yn ei glust.

'Beth?' holodd Moi. Doedd e ddim yn meddwl bod cael lifft yn y trelar yn ddiflas. Doedd e bron byth yn cael cyfle i fynd am reid mewn unrhyw gerbyd, gan nad oedd gan neb heblaw doctor a phlismon y pentref gar.

'Os awn ni adre, lladd nadredd fyddwn ni drwy'r prynhawn. Beth am i ni gael tipyn bach o sbort yn lle hynny?' meddai Dyfrig yn llawn syniadau.

'Pa fath o sbort?' holodd Moi'n chwilfrydig wrth drio tynnu'i siwmper yn ôl i'w lle.

'Chi'n moyn lifft, bois?' torrodd llais triog Annie ar eu traws cyn iddi sylweddoli fod y trelar dan ei sang ac nad oedd lle bellach i'w dau nai. 'Ww! Y cyntaf i'r felin wedes i, yndofe? A dwi'n credu eich bod chi'n rhy hwyr...'

'Paid becso, Annie,' atebodd Dyfrig, gan amneidio ar Annie i gychwyn. Cododd ei law arni wrth i'r tractor llwyd ddechrau tuchan tua'r pentref dan bwysau annisgwyl y disgyblion.

'Wel?' gofynnodd Moi a chodi ael ddisgwylgar wrth i'r tractor ddiflannu rownd y tro.

'Beth?'

'Beth yw'r sbort 'ma ti'n moyn ei gael?'

'Beth am fynd ar antur?' gofynnodd

Dyfrig, gan geisio tanio dychymyg Moi. 'Yr antur orau erioed!'

Dechreuodd gwên fawr felys ledu dros wyneb Moi.

'Grêt!'

'Beth am fynd am wâc i Goed Du?'

Diflannodd gwên Moi fel haul dan gwmwl.

'Na,' meddai.

'Dere 'mlaen!'

'Na!' meddai Moi eto, ei lais yn bendant.

'Pam?'

'Ti'n gwbod pam...'

Coedwig uwchlaw'r pentref oedd Coed Du. Roedd hi'n ymestyn yn garped gwyrdd trwchus yr holl ffordd i fyny llethrau'r Mynydd Du, y coed wedi plethu i'w gilydd fel milwyr oedd wedi bod yn sefyll yn eu rhengoedd yn gwarchod y pentref ers cyn cof. Ond er mor ddeniadol ei golwg, y funud y byddai rhywun yn mentro i mewn i'r goedwig, byddai'r tymheredd yn plymio – hyd yn oed ar ddiwrnod crasboeth yn yr haf – a byddai synau, sibrydion a siffrwd od yn cyhwfan drwy'r coed. Dyna pam roedd nifer o blant y pentre'n amau fod yna ryw egni dieflig yno – rhyw ysbryd cyntefig yn cuddio yn y coed. Rhywle i'w ofni a'i osgoi oedd Coed Du. Rhywle peryglus.

'Hy! Sdim bwgan yng Nghoed Du, 'achan!' mynnodd Dyfrig.

'Oes!'

'Pwy sy'n gweud?' gofynnodd Dyfrig, gan rowlio ei lygaid gwyrddlas yn ddireidus.

'Pawb!'

'Stori yw hi, Moi…'

'Mae hi'n wir!'

'Nag yw. Sdim o'r fath beth â bwgan!' ebychodd Dyfrig yn hyderus.

'Pam fod pawb yn gweud fod na, 'te?'

'I godi ofn ar bobl fel ti – pobl sy'n ddigon twp i gredu'r fath ddwli!'

'Dim dwli yw e, Dyfrig!' mynnodd Moi. 'Pam ei bod hi bob amser yn oer yn Coed Du 'te? Alli di egluro hynny?'

'Wel, sdim haul yn treiddio drwy'r coed, oes 'na?!'

Ystyriodd Moi am eiliad. Roedd gan Dyfrig bwynt, siŵr o fod. Ond doedd hynny ddim yn egluro popeth, chwaith.

'Ond beth am y synau od?'

'Gwynt yn mynd drwy'r dail. Adar yn nythu. Wiwerod yn chware mig…'

Ystyriodd Moi eto ond ysgydwodd ei ben. 'Na, rhaid bod bwgan yno,' meddai. 'Fyddai neb yn dechrau stori fel 'na heb fod rhywfaint o wirionedd ynddi. 'Sdim mwg heb dân. Ag aiff yr un o'n nhraed i yn agos i'r lle...'

'Babi.'

Distawrwydd.

Syllodd Moi ar ei frawd mawr.

'Beth ddywedaist ti?' meddai, ei lais yn llawn tyndra.

'Babi. Ofn mynd am wâc i Goed Du,' chwarddodd Dyfrig yn ddilornus, gan gythruddo'i frawd bach.

'Dwi ddim yn fabi!' arthiodd Moi, ond cododd Dyfrig un o'i aeliau'n heriol. 'Nadw ddim!'

'Profa 'ny 'te!' meddai Dyfrig. 'Os nad wyt ti'n fabi, fydd dim ots gen ti ddod am wâc i Goed Du, fydd e?'

Tawelodd Moi gan ei fod yn gwybod iddo syrthio ar ei ben i fagl. Petai'n gwrthod mynd, byddai Dyfrig yn mynnu ei fod e'n fabi a byddai'n dannod iddo am byth bythoedd, amen. Allai Moi ddim dychmygu unrhyw beth gwaeth a gwyddai nad oedd ganddo ddewis. Felly, er gwaethaf ei ofnau, sythodd ei gefn a nodio ar ei frawd.

'Iawn, dere...' meddai Moi, gan geisio anwybyddu'r nadroedd oedd yn cordeddu yn ei stumog.

Gloywodd llygaid gwyrddlas Dyfrig wrth i'w frawd bach gerdded tua'r giât fochyn a llithro drwyddi tua Coed Du...

2

Roedd yr haul yn dal i befrio pan gyrhaeddodd Moi a Dyfrig gwr y goedwig, a gallen nhw weld y coed yn tyfu'n syth o'r ddaear fel gwaywffyn balch. Llyncodd Moi'n galed. Mewn cwta eiliadau, byddai ef a'i frawd yn camu i mewn i'r cysgodion. Moi oedd wedi bod yn arwain y ffordd bob cam o'r ysgol ond yn sydyn, arafodd ei gamau. Gobeithiai i'r nefoedd na allai Dyfrig glywed ei galon yn curo. Er ei fod yn ceisio rhoi'r argraff nad oedd e'n becso taten am gamu i mewn i'r hen, hen goedwig, roedd e ar binnau.

Rhaid oedd dringo dros wal gerrig sych oedd yn drwch o fwsog i gyrraedd y goedwig, ac wrth i Moi grafangu drosti, llithrodd ei droed a bu bron iddo â chwympo'n bendramwnwgl i'w gwaelod. Roedd rhan ohono'n gresynu na wnaeth gwympo a chael dolur wrth lithro. O leiaf wedyn byddai ganddo esgus i droi tua thre. Ond rhaid oedd iddo drio bod yn ddewr a chamu i'r goedwig neu chlywai e mo'i diwedd hi.

A gwir y gair. Plymiodd y tymheredd yr eiliad y camodd y ddau i ganol y coed. Roedd hi fel mynd o'r dydd i'r nos. Prin iawn oedd y pelydrau haul a lwyddai i dorri trwy'r cynfas dail trwchus uwchben Moi a Dyfrig, a'r pellaf yn y byd roedden nhw'n mentro i ganol y goedwig, oeraf yn y byd y teimlai'r ddau. Dechreuodd arogl ffres y coed pin oglais ffroenau'r bechgyn ar unwaith ac roedd y carped o nodwyddau cringoch o dan eu traed yn edrych fel petai wedi bod yno ers cyn cof. Ond doedd dim o'r synau od roedd Moi wedi disgwyl eu clywed. Y peth rhyfeddaf ynglŷn â'r lle oedd y tawelwch. Tawelwch trwm, trwchus. Bron na ellid ei gyffwrdd. Gwnâi hyn i Moi, oedd wedi arfer â dwndwr a hwrli-bwrli'r pentref, deimlo'n fwyfwy anesmwyth. Bu bron iddo neidio o'i groen pan agorodd Dyfrig ei geg.

'Am le gwych i chware cowbois ac indians,' meddai.

Edrychodd Moi arno fel petai e'n wirion bost. Sut allai feddwl am gowbois ac indians ar adeg fel hon?

'Bydd rhaid i ni weud wrth y bois! Allen ni ddod lan i chware 'ma ddydd Sadwrn. Dod â brechdan gyda ni. Fyddai dim rhaid i ni fynd adre drwy'r dydd wedyn...'

'Dyw bois y pentre ddim yn mynd i ddod lan fan hyn!' meddai Moi'n syn.

'Pam?'

'Ti'n gwbod pam...'

'Ooo, am fod 'na fwgan yma, ife?' wfftiodd Dyfrig. 'Bwgan mawr salw â chyrn ar ei ben a fforch dan ei fraich! Wel, dwi ddim yn gweld unrhyw fwgan...'

Ond wrth iddo ddweud hyn daeth sgrech o'r llwyn drain y tu ôl iddo a saethodd rhywbeth i'r entrychion.

'Waaaa!' neidiodd Dyfrig i'r awyr, rhuthro heibio Moi a'i lusgo gerfydd ei swmper i'w ganlyn. Ond roedd coesau Moi fel plwm gan ei fod yn chwerthin lond ei fol.

'Wow! Stop, 'achan! Ffesant oedd e – 'na i gyd,' meddai, gan bwyntio at yr aderyn amryliw oedd wedi hedfan o'r llwyn a glanio ar frigyn coeden dafliad carreg i ffwrdd. Gwelodd Dyfrig y ffesant. Pwyllodd.

'Wel...ro'n i'n gwbod hynny...'

'Paid â'u rhaffu nhw!' heriodd Moi. 'A fetia i fod dy bants di'n frown 'fyd!'

'Na!'

'Weles i ddim ohonot ti'n symud mor glou erioed o'r blaen,' chwarddodd Moi. 'A phwy yw'r babi nawr, 'te? Ofn tamed o ffesant...'

Er iddo wadu a gwadu, gwyddai Dyfrig ei fod wedi gwneud ffŵl ohono'i hun ac roedd e'n amau mai'r peth gorau i'w wneud fyddai cwympo ar ei fai.

'O, ocê!' cyfaddefodd â hanner gwên. 'Ges i lond twll o ofn...'

'Ti'n gwneud hwyl am 'y mhen i am fod ofn bwgan arna i, ond dyma ti'n cael ofn rhyw aderyn sydd ddim am wneud drwg i neb!'

'Ond o'n i ddim yn disgwyl iddo fe saethu mas o'r llwyn, o'n i?'

'Twpsyn!'

'Edrych, Moi,' ochneidiodd Dyfrig. 'Dwi wedi gweud wrthot ti droeon – sdim o'r fath beth â bwgan, iawn.'

'Ond ma Ifor Jewel yn gweud fod 'i dad-cu wedi gweld bwgan yng Nghoed Du...'

'Mae Ifor Jewel yn gweud fod 'i dad-cu wedi gweld anghenfil yn nofio yn Loch Ness pan oedd e'n byw yn yr Alban 'fyd!'

'Falle 'i fod e?'

Ebychodd Dyfrig wrth wrando ar Moi'n amddiffyn celwyddgi mwyaf yr ysgol.

'Ac ma Ifor Jewel yn gweud fod 'i dad-cu wedi gweld dyn y lleuad 'fyd! A ni gyd yn gwbod taw dwli yw hynny!'

Gwgodd Moi.

'Mae'n wir!'

Allai Moi ddim dadlau. Roedd gan Dyfrig bwynt ac roedd e mor bendant fod yna ddim bwgan yn Coed Du fel y mentrodd Moi ei gredu am eiliad. Pan welodd ei frawd mawr fod ei ddadl e'n cloffi, dyma fe'n ailadrodd eto ac eto mai dwli llwyr oedd y stori; fod rhywun wedi ei chreu am sbort a bod y stori wedi tyfu tu hwnt i bob rheswm, fel caseg eira. O dipyn i beth, dechreuodd Moi lyncu'r ddadl. Wedi'r cwbl, doedd yna neb roedden *nhw*'n ei adnabod wedi gweld y bwgan ac os nad oedd yna neb roedden *nhw*'n ei adnabod wedi ei weld, roedd siawns eitha da nad oedd y stori'n wir. A'r funud y dechreuodd Moi feddwl felly, diflannodd ei ofnau.

Edrychodd o'i gwmpas ar y coed a'r llwyni ac yn hytrach na meddwl amdanyn nhw fel rhywbeth i'w ofni, dechreuodd Moi feddwl amdanyn nhw fel pethau hardd a gosgeiddig. Mwyaf sydyn, ymlaciodd. A'r funud yr ymlaciodd, dechreuodd deimlo'n fwy dewr.

'Falle dy fod ti'n iawn, Dyf...'

'Wrth gwrs mod i'n iawn! Dwi wastad yn iawn! A nawr mod i wedi gwthio tamed bach o synnwyr i'r pen wy 'na, fydd dim rhaid i ni ruthro adre, na fydd?'

'Na,' meddai Moi. 'Ond ti'n gwbod beth? Dwi ishe bwyd.'

Pan ddywedodd Moi hynny, sylweddolodd Dyfrig ei fod yntau ar lwgu hefyd. Doedden nhw ddim wedi cael tamaid i'w fwyta ers i'w mam wneud brechdan jam mwyar duon iddyn nhw amser brecwast ac roedd hynny oriau yn ôl bellach. Fyddai dim i'w fwyta yn y pantri gartref. Roedd Glenys Morris yn meddwl eu bod nhw'n cael cinio yn yr ysgol ac os oedd heddiw'n debyg i bob diwrnod arall, dim ond digon i swper heno fyddai ganddi yn y cypyrddau. Roedd hi'n fain iawn arnyn nhw pan roedd eu tocynnau dogni bwyd wythnosol yn dod i ben, a gwyddai Dyfrig a Moi fod eu mam yn mynd heb fwyd yn aml er mwyn iddyn nhw'r plant gael rhywbeth yn eu boliau. Gwadai Glenys Morris hynny wrth gwrs, ond wedi cymaint o amser yn byw ar gyn lleied, allai hi ddim taflu llwch i lygaid Dyfrig a Moi bellach. Fydden nhw ddim yn cael eu tocynnau dogni bwyd newydd tan yfory. Petaen nhw'n mynd adref, byddai eu mam yn siŵr o roi rhywfaint o'r sbam a'r tatws oedd i fod i swper heno i ginio iddyn nhw a mynd heb swper ei hun. Doedd yr un o'r ddau eisiau hynny.

Wrth iddyn nhw ddilyn eu trwynau drwy'r coed, dyma nhw'n clywed sŵn nant yn tincial. Dyna pryd gafodd Dyfrig fflach o ysbrydoliaeth.

'Hei, beth am 'sgota dwylo?' meddai.

Gwenodd Moi. Annie oedd wedi eu dysgu i 'sgota dwylo – ac roedd hi'n bencampwraig. Dilynodd y ddau sŵn y dŵr. Cyn bo hir daethon nhw at y nant fach loyw oedd yn dawnsio drwy'r coed. Chwiliodd y ddau am byllau llonydd, yn union fel roedd Annie wedi eu dysgu, gan mai dyma lle roedd y pysgod yn cuddio gan amlaf. Tynnodd Dyfrig a Moi eu hesgidiau a'u sanau ac ar ôl eu taflu ar y lan, dyma nhw'n camu i mewn i'r dŵr.

'Wwww!' gwichiodd Moi. 'Mae e fel iâ!'

'Shh! Paid â chodi ofn ar y pysgod...'

Caeodd Moi ei ben yn syth ac ymhen ychydig funudau, roedden nhw'n canol-bwyntio'n galed. O dan gerrig mwyaf y pwll roedd y pysgod yn cuddio bob tro ac yn araf bach anelodd Moi at y garreg fwyaf y gallai ei gweld er mwyn mentro'i lwc tra oedd Dyfrig yn symud i bwll arall, yn uwch i fyny'r nant.

Plygodd Moi i lawr ac yna'n bwyllog a chelfydd ymestynnodd ei ddwylo o dan garreg i weld a oedd rhywbeth yn llechu oddi tani. Cyffrôdd drwyddo pan deimlodd rhywbeth yn chwarae mig â bodiau ei ddwylo! Brithyll! Dechreuodd gosi bol y pysgodyn yn ysgafn – yn union fel dangosodd Annie iddo – gan dwyllo'r pysgodyn druan i feddwl nad oedd dim byd i'w ofni. Pan roedd e'n siŵr nad oedd y brithyll yn mynd i lithro rhwng ei ddwylo, dyma Moi'n paratoi i'w wasgu'n dynn. Ar yr union eiliad honno, sgrechiodd Dyfrig!

'Dwi wedi dal un!' bloeddiodd, gan fwrw Moi oddi ar ei echel. Gydag un sblash enfawr, syrthiodd yntau ar ei ben ôl i'r dŵr.

'Dyfrig! Dwi'n wlyb stecs…'

'Hy! Pwy yw'r twpsyn nawr?' chwarddodd Dyfrig wrth weld Moi'n stryffaglu i godi o'r dŵr.

'Oedd rhaid gweiddi fel 'na?'

'O gad dy gonan a dere i edrych ar y brithyll yma! Mae e'n anferth.'

Taflodd Dyfrig y pysgodyn i lan yr afon

yn falch, ac er nad oedd Moi'n meddwl fod y brithyll yn anferth, roedd e'n sicr y gwnâi bryd i ddau. Gwasgodd Moi ddŵr o'i drywsus bach llwyd. Roedd e'n awyddus iawn i ddechrau coginio'r pysgodyn ar unwaith, ond roedd Dyfrig â'i fryd ar ddal mwy.

'Allwn ni fynd â rhai adre at Mam wedyn,' meddai.

Gwyddai Moi y byddai hi'n ddiolchgar felly wrth i Dyfrig ddal ati i 'sgota dwylo, dechreuodd e lanhau'r brithyll cyntaf. Estynnodd am ei gyllell boced a'i thynnu ar hyd bol llithrig y pysgodyn cyn tynnu'r perfedd cynnes allan. Torrodd ei ben a'i gynffon ac wedi iddo olchi'r gwaed tywyll, gludiog oddi ar ei fysedd yn nŵr y nant, dechreuodd Moi chwilio am frigyn coeden fyddai'n ddigon cryf i ddal y brithyll uwch ben y tân roedd am ei adeiladu i goginio'r pysgodyn.

''Sgen ti fatsys?' sibrydodd wrth Dyfrig, wrth iddo yntau ddringo allan o'r nant yn dal brithyll arall yn ei ddwylo. Dechreuodd dyrchu ym mhocedi ei drywsus bach. Cwympodd hanner pensel, darn o linyn, botwm, hances a chyllell boced mas. Wrth i Moi ddechrau becso nad oedden nhw'n mynd i allu cynnau tân wedi'r cwbwl, drwy lwc, fe ymddangosodd bocs bach o fatsys yng nghanol yr holl drugareddau. Gwenodd Moi a dilyn Dyfrig i chwilio am ddarnau o goed ar gyfer y tân. Ond er eu bod mewn coedwig, allen nhw ddim darganfod darnau fyddai'n addas i gychwyn y tân. Roedd y coed ar bwys y nant yn llaith a naill ai'n rhy fawr neu'n rhy fach. Am sefyllfa eironig, meddyliodd Moi wrtho'i hunan, wrth iddo ef a Dyfrig fentro'n ddyfnach ac yn ddyfnach i mewn i'r goedwig i chwilio am goed tân. Erbyn hyn, roedd eu boliau'n grwgnach yn waeth nag erioed. Dyna pryd gwelson nhw fwthyn wedi mynd â'i ben iddo yn cuddio yng nghysgod craig...

3

Roedd y bwthyn carreg wedi gweld dyddiau gwell. Roedd iorwg wedi dechrau meddiannu'r waliau trwchus ac roedd twll mawr salw yn graith ar y to. Roedd tyllau duon gwag lle bu'r ffenestri ac roedd yr hyn oedd yn weddill o'r drws ffrynt yn prysur bydru oddi ar ei ffrâm. Edrychai'r bwthyn yn druenus, a'r llwybr oedd yn arwain ato'n frith o faw defaid ac adar.

'Do'n i ddim yn gwbod bod rhywun yn byw yng Nghoed Du,' meddai Moi yn syn.

''Sneb wedi byw 'ma ers oes pys yn ôl golwg y lle,' atebodd Dyfrig.

'Dwi ddim yn synnu. Pwy fydde'n moyn byw yn rhywle fel hyn, Dyf? Yng nghanol coedwig, yn bell o bob man?'

Doedd gan Dyfrig ddim syniad ond pigwyd ei chwilfrydedd ac anghofiodd bopeth am y coed tân.

'Dere, gad i ni fynd mewn…'

'Allwn ni ddim mynd mewn!' protestiodd Moi. 'Nid ein tŷ ni yw e!'

'Dyw e ddim yn dŷ i neb arall, chwaith,

wrth 'i olwg e! 'Sneb yn byw 'ma, felly dere! Gad i ni gael sbec…'

Roedd Moi'n fwy petrus na'i frawd wrth natur a rhoddodd Dyfrig bwysau arno i'w ddilyn.

'Dere, Moi! Ni *fod* ar antur…'

Roedd hynny'n wir a phan gerddodd Dyfrig ar hyd llwybr graean y bwthyn, clywodd draed Moi yn ei ddilyn ymhen ychydig.

Pan wthion nhw'r hyn oedd yn weddill o'r drws yn agored a chamu i mewn, llanwyd eu ffroenau ag arogl lleithder. Roedd baw defaid ac adar yn strempiau hyd lawr llechen y cyntedd. Rhaid eu bod nhw'n cysgodi yno mewn tywydd garw, meddyliodd Moi wrtho'i hun. Roedd hi'n dywyll y tu mewn ond synnwyd y bechgyn gan faint y bwthyn. Edrychai'n fach a chyfyng o'r tu fas ond roedd e'n dipyn mwy y tu mewn. Roedd dwy stafell y naill ochr a'r llall i'r cyntedd a rhyw fath o stafell fyw ar y chwith, â gweddillion nythod adar a gwe corynnod yn crogi yng nghonglau'r nenfwd. Ar y dde, roedd stafell a edrychai fel hen gegin. Ar un wal, roedd lle tân mawr henffasiwn a bachyn i grogi tegell a lle gosod sosbenni i goginio arno. Roedd pentwr o hen duniau sbam a thuniau ffrwythau gwag wedi eu taflu ar hyd yr aelwyd ac roedd ambell gwpan heb ddolen a phlat tun tolciog gerllaw. Doedd dim dodrefn, ar wahân i un gadair dderw ddrylliedig yn y gornel.

''Sgwn i beth sy drwodd yn y cefn?' holodd Dyfrig, ei chwilfrydedd yn cynyddu ar ôl iddo benderfynu nad oedd dim arall o werth i'w weld yn y gegin. Aeth i lawr coridor y cyntedd ac wrth iddo ddiflannu i'r ardd gefn, sylwodd Moi ar risiau pren oedd yn arwain i lawr cyntaf y bwthyn. Roedd y rheini'n llanast o faw hefyd ond wnaeth hynny mo'i rwystro rhag dechrau eu dringo.

Camodd Moi i mewn i'r stafell wely gyntaf oedd yn dipyn goleuach na gweddill y tŷ. Sylwodd mai'r twll mawr yn y to oedd yn gyfrifol am hynny a thrwyddo gallai weld y graig ysgrythog yn codi'n dalog y tu cefn i'r bwthyn. Roedd rhywfaint o iorwg wedi gwthio'i ffordd yn ewn drwy'r twll. Byddai ei fysedd barus yn siŵr o feddiannu bob twll a chornel o'r stafell gyda threigl amser, meddyliodd Moi. Ym mhen pella'r stafell roedd grât fechan ddu ac wrth iddo groesi ati i'w hastudio'n fanylach, sylwodd ar dun baco ar y sil ffenest. Roedd y tun yn sgriffiadau i gyd ac roedd Moi ar fin ei agor pan glywodd sŵn siffrwd yr ochr arall i'r pared.

Stopiodd Moi yn stond.

Clustfeiniodd. Am eiliad, dwy, tair…

Ond roedd popeth yn gwbl dawel. Allai Moi ddim clywed siw na miw o'r stafell drws nesaf. Rhaid mai dychmygu wnaeth e. Wedi'r cwbl, gwyddai fod Dyfrig mas yn yr ardd.

Trodd Moi ei sylw yn ôl at y tun baco ac wedi iddo'i agor, gwelodd fod dwy sigarét fain ar ôl yn ei waelod. Gwyddai Moi fod ei fodryb Annie'n hoff o smôc fach slei, felly penderfynodd gadw'r tun i'w roi'n anrheg iddi. Wrth iddo'i stwffio i mewn i'w boced, clywodd glep isel yn dod o'r stafell drws nesaf. A sŵn traed.

Rhewodd. *Roedd* rhywbeth neu rywun am y pared ag ef!

Rhedodd Moi drwy'r drws a rhuthro i lawr grisiau'r bwthyn, y tun baco'n clinarddach ar ei ôl.

'Aaaa!' sgrechiodd nerth esgyrn ei ben a gwibio heibio i Dyfrig wrth i hwnnw ddod i gwrdd ag ef ar waelod y grisiau.

'Beth sy'n bod?' holodd Dyfrig.

'Bwgan!' llefodd Moi a diflannu i lawr llwybr yr ardd a'i wyneb cyn wynned â'r galchen.

'Y?'

'Ro'n i'n iawn!' bloeddiodd Moi. '*Ma* 'na fwgan yng Nghoed Du! Rhed!'

Cyn i Dyfrig allu dweud na gwneud dim byd, roedd Moi'n carlamu drwy'r coed, yn baglu a neidio drwy'r drain fel petai haid o helgwn ar ei ôl. Stopiodd e ddim nes cyrraedd rhif 2 Teras Bryn Bugail a chau drws ei gartref yn dynn y tu ôl iddo.

Gwyddai Glenys Morris yn syth fod rhywbeth o'i le wrth i'r geiriau fyrlymu blith draphlith o geg ei mab ieuengaf. Roedd e'n ceisio'i orau glas i ddweud wrthi sut roedd e wedi darganfod bwgan yn y bwthyn yng Nghoed Du. Gwnâi hyn i gyfeiliant piffiadau o chwerthin gan Dyfrig oedd wedi llwyddo i ddal i fyny â'i frawd bach ar ben y stryd ac a oedd, erbyn hyn, yn tynnu'i goes yn ddidostur.

'Dychmygu wnest ti, Moi!'

'Nage!'

'Ie, achan!'

'Doedd neb yn y tŷ…ond glywes i sŵn traed!'

'Wnes *i* ddim...'

'Doeddet *ti* ddim yn y llofft!'

'Doeddech chi ddim i fod lan yng Nghoed Du ta beth,' dwrdiodd eu mam.

'Wel...ym...' mwmiodd Dyfrig.

'Pam na ddaethoch chi adre gyda gweddill plant yr ysgol?'

'Do'dd dim lle yn nhrelar Annie...' rhaffodd Dyfrig gelwyddau.

'Dim ishe gwyngalchu'r tŷ bach oeddech chi, yntê,' dwrdiodd eu mam nhw, ond awgrymai'r fflach o ddireidi yn ei llygaid gwyrddlas nad oedd hi'n grac mewn gwirionedd.

'Nawr edrych, Moi, mae Dyfrig yn iawn. Dychmygu wnest ti.'

'Nage!'

'Sdim o'r fath beth â bwgan, cyw,' pwysleisiodd Glenys Morris gan fwytho cyrls lliw castan Moi. 'Dyna fydd dy dad yn ei ddweud o hyd, yntê? Ac mae gen i newyddion amdano fe,' ychwanegodd, gan dynnu amlen fechan o boced ei ffedog smotiog las a gwyn. 'Gawson ni lythyr wrtho fe'r bore 'ma...'

Edrychodd Moi a Dyfrig arni'n gegrwth. Doedden nhw ddim wedi cael newyddion am eu tad ers misoedd maith. Llamodd y ddau tuag ati.

'Beth mae e'n weud, Mam? Beth mae e'n weud?!' gwaeddodd y ddau ar draws ei gilydd.

'Wow, wow!' atebodd hithau, gan dynnu dalen denau o bapur o'r amlen a dechrau rhannu cynnwys y llythyr â'r ddau. 'Mae'ch tad yn gweud 'i fod e'n cadw'n iawn. Dyw e ddim yn gweud ble'n union y mae e, ond ro'dd y gatrawd newydd groesi'r ffin i'r Almaen pan 'sgrifennodd hwn. Ro'dd hynny dri mis yn ôl ac mae'n gweud 'u bod nhw'n ceisio gwthio'r Almaenwyr yn 'u hôl gan bwyll bach. Mae e'n gobeithio y bydd y rhyfel yn dod i ben cyn diwedd y flwyddyn ac yn gweddïo am hynny bob nos, medde fe. Wrth gwrs, mae ganddo hiraeth mawr amdanoch chi ac mae'n ysu am eich gweld chi 'to. Ond tan hynny, mae e'n moyn i chi'ch dau fod yn gryts da ac mae e'n anfon cwtsh mawr atoch chi.'

Gwenodd Moi a Dyfrig gan estyn yn awchus am y llythyr. Er bod tri mis wedi mynd heibio ers i'w tad ei yrru, roedd cyffwrdd a byseddu'r papur tenau'n gwneud i'r bechgyn deimlo'n agos ato, er ei fod mor,

mor bell i ffwrdd oddi wrthyn nhw'n ymladd yr Almaenwyr felltith.

'Chi'n meddwl ei fod e'n dal yn ocê, Mam?' gofynnodd Moi ymhen ychydig.

'Ody, wrth gwrs 'i fod e,' atebodd ei fam.

Ond gwyddai'r tri ohonyn nhw fod tri mis yn amser hir mewn rhyfel. Gallai unrhyw beth fod wedi digwydd iddo yn yr amser hwnnw. Gallai unrhyw beth ddigwydd mewn diwrnod, mewn awr, mewn munud, mewn eiliad hyd yn oed, ond roedd yn rhaid iddyn nhw orfodi eu hunain i beidio â meddwl am hynny neu fe fydden nhw'n gyrru'u hunain yn wallgof yn becso amdano.

'Petai rhywbeth *wedi* digwydd, fydden ni wedi cael telegram gan y Swyddfa Ryfel,' ychwanegodd Glenys Morris ac am ennyd, cofiodd y tri ohonyn nhw am y pedwar telegram brawychus oedd eisoes wedi cyrraedd y pentref. Ond doedden nhw ddim eisiau meddwl am hynny'n rhy hir gan fod derbyn llythyr yn achos dathlu. A phan ruthrodd Annie i mewn yn sŵn i gyd ychydig yn ddiweddarach, fe rannon nhw'r newyddion â hi'n llawn cyffro. Roedd Annie hefyd ar ben ei digon. Darllenodd y llythyr unwaith, ddwywaith, deirgwaith, cyn eistedd i lawr a gwenu fel giât. Yna gwthiodd gudyn o'i gwallt modrwyog tu ôl i'w chlust a dweud bod ganddi hithau newyddion da i'w rhannu hefyd.

Ychydig ddyddiau ynghynt, roedd si wedi cyrraedd Bont-ddu bod criw o Almaenwyr wedi dianc drwy dwnnel tanddaearol o wersyll carcharorion rhyfel Island Farm ym Mhen-y-bont ar Ogwr oedd rhyw ugain milltir i ffwrdd. Roedd Annie newydd glywed gan ffrind iddi o'r dref oedd yn berchen weiarles fod y Gwarchodlu Cartref newydd ddal dau ohonyn nhw'n ceisio dal cwch yn ôl i'r Almaen o borthladd Bryste. Roedd y mwyafrif o'r carcharorion yn ôl dan glo erbyn hyn ac roedd Dyfrig a Moi'n gresynu eu bod nhw'n byw mor bell o'r cyffro. Petai Bont-ddu yn nes at Ben-y-bont ar Ogwr, efallai y bydden nhw wedi cael cyfle i chwilio am y carcharorion. Ond roedd y siwrne'n hir a doedd ganddyn nhw ddim gobaith caneri o weld na chlywed unrhyw beth.

'Mae'n siŵr bod dathlu mawr ym Mhen-y-bont heno...' meddai Moi.

'Fyddan nhw'n dathlu mwy fyth pan

ddalian nhw'r carcharor ola!' meddai Annie. Dim ond tri carcharor oedd yn dal â'u traed yn rhydd ac roedd Annie'n gwbl bendant y byddai'r rhwyd yn cau amdanyn nhw hefyd cyn bo hir. Wrth i Dyfrig a Moi drafod sut yn union y bydden nhw'n cosbi'r Almaenwyr petaen nhw'n digwydd dal un ohonyn nhw, tynnodd Annie gwningen fawr o'i sgrepan gefn. Fe'i daliodd hi gyda magl yn hwyr yn y prynhawn. Gwenodd y bechgyn wrth sylweddoli eu bod nhw am gael rhywbeth gwell na sbam i swper!

4

Fore trannoeth, roedd yr ysgol yn dal ar gau. Gwelodd Glenys Morris Miss Cook wrth iddi fynd i'r ysgol i gwrdd â'r plymer ac roedd y brifathrawes yn hyderus y byddai'r broblem wedi ei datrys erbyn diwedd y prynhawn. Roedd hi'n ddydd Gwener, oedd yn golygu fod gan Dyfrig a Moi benwythnos hir o'u blaenau. Felly, pan drawodd eu mam ei gwallt gwinau rownd drws eu stafell wely i rannu'r newyddion da, gwenodd y ddau arni'n gysglyd. Tynnodd Dyfrig gwrlid y gwely dwbl roedd e'n ei rannu gyda Moi i fyny at ei drwyn gan feddwl fod diwrnod o'r ysgol yn golygu y câi aros yn ei wely am dipyn bach hirach. Ond roedd gan Glenys Morris syniadau gwahanol.

'Mae pobl yn marw yn 'u gwelye!' profociodd gan dynnu cynfasau'r gwely yn ôl. 'Nawr, codwch!'

'Ooo, Mam...' protestiodd Moi.

'Ie, pum munud fach arall...plîîîîs...?' erfyniodd Dyfrig.

'Codwch!'

Gwrthgyferbynai awyr oer y stafell wely'n siarp gyda chynhesrwydd cysurus y cynfasau a chan nad oedd posib llusgo'r cynfasau yn ôl o afael eu mam, sylweddolodd Moi a Dyfrig byddai'n rhaid iddyn nhw godi cyn iddyn nhw ddechrau crynu gan oerfel.

Wedi llyncu brechdan jam mwyar duon i frecwast, roedd y bechgyn â'u bryd ar fynd mas i chwarae cyn i Glenys Morris gael gafael arnyn nhw. Allen nhw ddim gwyngalchu'r tŷ bach yng ngwaelod yr ardd heddiw eto gan ei bod hi wedi bod yn glawio dros nos, ond roedd gan eu mam ddigon o jobsys eraill ar eu cyfer. Syrthiodd wyneb Moi pan ddywedodd hi wrtho am fynd i lanhau'r grât. Roedd yn gas ganddo sgubo'r llwch a'r lludw ond pan ddechreuodd Dyfrig dynnu coes, dywedodd ei fam wrtho y byddai'n rhaid iddo ei helpu hi i dynnu llwyth o olch drwy'r mangl. Roedd yn gas gan Dyfrig fanglo, byth oddi ar iddo ddod o fewn trwch blewyn i golli ei fawd un tro yn y rolars wrth iddo wasgu dŵr o grys. Tro Moi oedd hi i dynnu coes nawr.

'Wnewch chi'ch dau fyhafio!' dwrdiodd eu mam.

'Ma 'da ni bethe gwell na hyn i 'neud â'n diwrnod bant, Mam,' cwynodd Dyfrig.

'Fel beth?'

'Ro'n i wedi meddwl mynd mas i chware pêl-droed gyda rhai o'r bois...' meddai.

'A fi!' cwynodd Moi.

'O wel, ro'n i wedi meddwl y byddech chi'n hoffi dod 'da fi i'r dref i siopa nes 'mlan,' meddai Glenys Morris. 'Ma 'da fi ddigon o gŵpons i gael melysion i chi yr wythnos hon...'

'Melysion?!' llefodd y ddau fel un.

'Ond os byddai'n well 'da chi fynd i chware pêl-droed...'

Ar amrantiad, anghofiodd Dyfrig a Moi bopeth am bêl-droed. Yn anaml iawn y bydden nhw'n cael melysion i'w bwyta. Doedd dogni bwyd y rhyfel ddim yn caniatáu hynny ac roedd clywed bod gan eu mam ddigon o gŵpons i brynu pedair owns o felysion yn ddigwyddiad cyffrous. Mewn chwinciad, roedd y grât fel pìn mewn papur ac roedd y golch i gyd wedi ei fanglo a'i hongian ar y lein i sychu.

Tra oedd eu mam yn ymbincio a newid i'w dillad gorau lan lofft, aeth Dyfrig a Moi i eistedd yng ngardd ffrynt rhif 2 Teras Bryn Bugail. Patshyn maint macyn oedd yr ardd fach oedd yn estyn o'r tŷ bychan wyneb carreg. Roedd y brodyr yn treulio oriau'n eistedd ar y wal isel o flaen y gwrych yn cicio'u sodlau ac yn gwylio'r byd a'r betws yn mynd heibio. Wrth iddyn nhw ddadlau ai *mints*, taffi neu *liquorice sticks* fydden nhw'n hoffi eu prynu gyda'r cŵpons, daeth Ifor Jewel, Trefor Tal a Carwyn Cae Pella rownd y gornel yn cicio pêl.

'Hei! Ffansi gêm, bois?' holodd Ifor, gan gicio'r bêl yn galed i gyfeiriad Dyfrig a sgubo'i wallt cringoch oddi ar ei dalcen.

'Ie! Gafon ni gêm grêt ar sgwâr y pentre brynhawn ddoe,' ychwanegodd Trefor Tal oedd yn ddewin ar y cae pêl-droed. 'I ble ddiflannoch chi'ch dau mor glou?'

'Am wâc i Goed Du,' meddai Dyfrig, gan gicio'r bêl yn ôl at Ifor yr un mor galed.

Lledodd llygaid Ifor a Trefor Tal ac roedd wyneb main, llwyd Carwyn Cae Pella yn bictiwr hefyd o glywed hynny.

'Ma dy dad-cu'n iawn, Ifor,' meddai Moi. '*Ma* 'na fwgan lan 'na ...'

'Welsoch chi fe?' gofynnodd Ifor, gyda

chymysgedd o anghrediniaeth ac edmygedd yn ei lais.

Nodiodd Moi cyn i Dyfrig daflu dŵr oer ar bopeth.

'Naddo ddim!' meddai.

'Do!' mynnodd Moi.

'Ma Moi'n *meddwl* 'i fod e wedi clywed sŵn yn yr hen fwthyn rhacs ffendion ni lan 'na. Ond nath e ddim. Dwi wedi gweud a gweud mai'i feddwl o'dd yn chware tricie arno fe...'

'Nage ddim!' ysgyrnygodd Moi, ac roedd hi ar fin mynd yn dân gwyllt pan gamodd Glenys Morris allan drwy'r drws ffrynt yn ei chot frown orau a'i het borc pei, yn stwffio tri llyfr dogni i waelod ei bag.

'Barod, bois?'

Nodiodd Dyfrig ei ben. Ond wrth i'r tri gerdded tua'r ffordd fawr oedd yn arwain i'r dref, roedd Moi yn corddi. Gwnaeth Dyfrig iddo edrych fel twpsyn o flaen y bois eraill ac roedd yn gas ganddo fod yn destun sbort.

Pwdodd yr holl ffordd i Aberdufaes – taith o ddwy filltir – a thorrodd yr un gair â neb wrth iddyn nhw ymuno â'r ciw mawr oedd yn disgwyl y tu allan i siop y cigydd ar y sgwâr. Wedi iddyn nhw brynu eu dogn wythnosol o ham a chig moch, aeth y tri ymlaen i siop y groser. Fe gymerodd hi oes pys iddyn nhw gyrraedd y cownter yn y fan honno hefyd. Er bod gan Glenys Morris restr hir o negeseuon i'w prynu, roedd ei bag hi'n dal yn gymharol ysgafn. Dim ond ychydig ownsys o de, siwgr, menyn a lard gâi hi eu prynu. Un wy yr un oedd y tri ohonyn nhw'n ei gael bob wythnos a doedd dim pwynt cwyno wrth i'r groser nodi eu bod nhw wedi cael yr hyn oedd yn ddyledus iddyn nhw yn eu llyfrau dogni. Yr Almaenwyr oedd ar fai am y prinder bwyd gan eu bod nhw'n bomio'r llongau oedd yn mewnforio bwyd i Brydain bob cyfle.

Ond uchafbwynt yr ymweliad â'r dref, wrth gwrs, oedd prynu'r melysion. Bu Moi a Dyfrig yn syllu'n hir ar y jariau gwydr tal tu ôl i gownter y groser. Roedden nhw'n llawn o arogleuon melys a siapiau siwgwrllyd deniadol. Dywedodd eu mam y câi Moi a Dyfrig ddwy owns o felysion yr un. Wedi cryn drafod, y taffi triog tywyll ddewisodd Dyfrig, a gofynnodd Moi am ddwy owns o'r *liquorice sticks*. Lapiodd y groser y melysion yn ofalus mewn papur llwyd a'u hestyn iddyn nhw â winc.

Yr eiliad y camodd Dyfrig a Moi mas o'r siop i sgwâr y dref, plymiodd y ddau eu dwylo i grombil eu pecynnau melysion a stwffio un yr un i'w cegau'n farus. Tra oedd y taffi'n felys ddiog ar dafod Dyfrig, roedd y *liquorice sticks* yn fwy sur ac yn bygwth troi dannedd Moi'n ddu. Cynigiodd y brodyr un yr un i'w mam ond gwrthoddodd hithau gymryd dim wrth y naill na'r llall, er ei bod hi eisiau i Moi a Dyfrig rannu rhywfaint o'u melysion â'i gilydd.

Roedd Dyfrig yn ddigon parod i wneud hynny a chynigiodd daffi i Moi, ond gwrthododd Moi rannu dim gyda'i frawd mawr. Cododd ei fam ael ddisgwylgar.

'Rho un o'r *liquorice sticks* 'na i Dyfrig, plîs,' meddai.

'Na!'

'Pam?'

'Wnaeth e ffŵl ohona i bore 'ma!' ysgyrnygodd Moi.

'O, paid â bod mor ddramatig,' atebodd Dyfrig ac estyn am *liquorice stick* o becyn Moi. Ond wrth iddo wneud hynny, berwodd tymer Moi. Gwthiodd Dyfrig mas o'r ffordd yn giaidd.

'Cer!'

'Dere â *stick* i fi!'

'Na!'

'Moi!' Estynnodd Dyfrig am y pecyn *liquorice* eto.

'Na! Ti'm yn cael un!'

Gwylltiodd Dyfrig ac o fewn eiliadau roedd dyrnau a breichiau'r brodyr yn chwyrlïo.

'Bois! Bois! Stopiwch hi!' bloeddiodd Glenys Morris ac er ei bod hi'n ddigon bychan ei chorff, roedd hi'n galed fel haearn Sbaen a gwahanodd Dyfrig a Moi oddi wrth ei gilydd mewn chwinciad chwannen. Wrth iddi wneud hynny, hedfanodd dwrn Moi yn syth i'w bag neges a disgynnodd y tri wy mas ohono gan ffrwydro'n omlet ar hyd y stryd.

Bu tawelwch llethol wrth i'r tri syllu ar y llanast. Doedd dim rhaid i Glenys Morris yngan gair. Gwyddai'r bechgyn ei bod hi'n gandryll. Fflachiai ei llygaid yn beryglus. Cipiodd y pecynnau melysion oddi ar Moi a Dyfrig.

'Wedodd eich tad wrthych chi am fod yn fechgyn da yn ei lythyr, yndofe?' meddai, ei llais yn oeraidd. 'A llai na diwrnod yn ddiweddarach, chi'n ymladd fel anifeilied!' Trodd Glenys Morris ar ei sawdl. 'Adre! Nawr!' gorchmynnodd a brasgamu i fyny'r stryd yn ôl i gyfeiriad pentref Bont-ddu.

Cerddai'r bechgyn tu ôl iddi'n llawn cywilydd. Roedd cael eu mam yn dwrdio a gweiddi arnyn nhw'n ddigon gwael, ond roedd teimlo'u bod nhw wedi ei siomi hi i'r byw yn fil gwaith gwaeth. Ynganodd yr un o'r ddau air yr holl ffordd adref ond fel y cyrhaeddon nhw gyrion y pentref, trodd Moi at Dyfrig.

'Dy fai *di* yw hyn i gyd...' sibrydodd yn gyhuddgar.

'E? *Ti* wthiodd *fi* os dwi'n cofio'n iawn,' meddai Dyfrig yn amddiffynnol.

'*Ro'dd* 'na fwgan yn y bwthyn!' mynnodd Moi.

'Nag o'dd ddim! Ac mi brofa i hynny i ti unwaith ac am byth!' atebodd Dyfrig ef wrth iddo wylio Glenys Morris yn diflannu trwy ddrws ffrynt rhif 2 Teras Bryn Bugail a'i gau'n glep yn eu hwynebau.

'Af i lan i'r bwthyn ar 'y mhen fy hunan bach!'

Syllodd Moi ar Dyfrig yn syn.

'Fyswn i ddim yn neud hynny petawn i'n meddwl fod bwgan 'na, fyswn i?' heriodd Dyfrig. Trodd a martshio'n herfeiddiol tua Choed Du...

5

Croesi'r patshyn gwyrdd ar sgwâr y pentref yr oedd Dyfrig pan amgylchynwyd ef gan haid o awyrennau – neu beth oedd yn esgus bod yn haid o awyrennau. Roedd y gêm bêl-droed wedi dod i ben ac roedd Ifor Jewel, Trefor Tal a Carwyn Cae Pella'n rhuo o gwmpas y sgwâr â'u breichiau ar led yn esgus bod yn awyrennau'r RAF.

'Rat-tat-tat-tat-tat!' rhuodd Ifor, gan esgus ymosod ar Dyfrig â dryll ei awyren.

'Ni'n bomio Dresden,' ychwanegodd Trefor. 'Gei di fod yn un o'r Luftwaffe sy'n amddiffyn y ddinas a wnawn ni dy saethu di...'

Pan ddywedodd Trefor hyn, fe wnaeth Ifor a Carwyn esgus anelu drylliau'u hawyrennau ato a rat-tat-tat-tat-tatio fel côr. Ond doedd Dyfrig ddim mewn hwyliau i chwarae bomio'r Almaen ar y funud – er mai dyma un o'i hoff gêmau – ac yn sicr doedd e ddim am esgus ei fod e'n Almaenwr – ddim â'i dad mas yn yr Almaen yn brwydro'n eu herbyn.

'Dim gobaith caneri, bois...' meddai.

''Sdim rhaid i ti fod yn Almaenwr os nag wyt ti'n moyn,' meddalodd wyneb main Carwyn. 'Gei di fod yn yr RAF 'fyd os wyt ti ishe a wnawn ni i gyd fomio Dresden nes bod y lle'n llwch...'

'Wwwshhh – bang!' suodd y bechgyn wrth esgus bomio'r ddinas islaw a thaflu eu sen ar y gelyn.

'Chi'n haeddu popeth ddaw!'

'Wwwshhh – bang!'

'Dyna'ch cosb am fomio Caerdydd!'

'Wwwshhh – bang!'

'A rhoi Abertawe ar dân! Rat-tat-tat!'

Troellodd a phlymiodd yr awyrennau ar hyd ac ar draws sgwâr y pentref. Ond roedd gan Dyfrig bethau eraill ar ei feddwl ac roedd ar fin troi oddi wrth y bechgyn pan stopiodd Ifor e.

'Hei, ges ti lythyr gan dy dad ddoe?' meddai'n chwilfrydig.

'Shwt wyt ti'n gwbod am hynny?' holodd Dyfrig.

'Dy fam wedodd wrth Mam,' atebodd Ifor. 'Neis iawn – gwbod bod popeth yn iawn.'

'Wyt ti wedi clywed rhwbeth gan dy dad

di?' holodd Dyfrig, gan deimlo i'r byw dros Ifor pan ysgydwodd ei ben.

'Beth amdanat ti?' trodd Dyfrig at Trefor Tal. 'Unrhyw beth?'

'Ddim ers sbel...' ochneidiodd Trefor yn hiraethus. Bu farw mam Trefor ar ei enedigaeth a'i fam-gu oedd yn gofalu amdano nes i'w dad ddod adref.

Doedd tad Carwyn ddim wedi mynd i'r rhyfel gan nad oedd ei iechyd yn ddigon da, ond doedd hyn ddim yn stopio Carwyn rhag cydymdeimlo â'i ffrindiau.

'Peidiwch becso, bois,' meddai. 'Dwi'n siŵr y bydd y tri ohonyn nhw'n rhoi crasfa iawn i'r Almaenwyr bob cyfle gawn nhw...'

Daeth bonllefau cadarnhaol o enau'r tri arall. Cythreuliaid mewn croen oedd yr Almaenwyr yn eu golwg nhw. Pobl frwnt, ddialgar, oedd yn difa popeth o'u blaen. Credai pawb y dylai pob un ohonyn nhw gael eu hanfon i uffern ar eu pen. Roedd Dyfrig wedi cael sawl hunllef a oedd wedi gwneud iddo ddihuno yng nghanol nos yn chwys diferu wrth feddwl eu bod nhw'n ei erlid.

'Hei, glywaist ti 'u bod nhw wedi dal dau arall o'r carcharorion 'na nath ddianc o Island

Farm?' gofynnodd Ifor. 'Ni newydd glywed nawr...'

'Gobeithio y taflan nhw'r allwedd bant...' poerodd Dyfrig, wrth i'r bois nodio mewn cytundeb.

'Dim ond tri ohonyn nhw sydd ar ôl nawr, ontefe?' holodd Carwyn.

'Ie. Ac ma' Annie'n gweud y byddan nhw'n siŵr o'u dal nhw...' meddai Dyfrig. Wrth iddo ddweud hynny, dechreuodd y tri arall rat-tat-tatio eto, gan gymryd arnyn nhw saethu'r Almaenwyr yn gelain.

Er ei fod yn cael ei demtio i aros a chwarae, gwyddai Dyfrig fod yn rhaid iddo anelu am Goed Du a phan ddywedodd e wrth y lleill i ble roedd e'n mynd, lledodd eu llygaid mewn syndod.

'Ti'n mynd lan i Goed Du *'to*?' rhyfeddodd Ifor.

'Rhaid i fi brofi pwynt...'

'Ar ben dy hunan bach?' gofynnodd Trefor Tal yn syfrdan.

'Sdim byd i'w ofni,' atebodd Dyfrig. 'Naethoch chi ddim credu Moi gynne fach, dofe?'

Bu distawrwydd annifyr wrth i'r bechgyn

godi a gostwng eu hysgwyddau a cheisio osgoi llygaid Dyfrig. Doedd yr un ohonyn nhw eisiau cyfaddef eu bod wedi ei gredu ac na fydden nhw'n mynd lan i Goed Du am bris yn y byd.

'Dwi'n cymryd nad oes un ohonoch chi'n moyn dod gyda fi 'te?' holodd Dyfrig.

'Ni'n fishi...'

'Odyn...'

'Rhaid i ni fennu'r bomio...'

Gwyddai Dyfrig yn iawn mai gwneud esgusodion yr oedden nhw. Fe allen nhw fennu'r bomio unrhyw bryd. Yn y bôn felly, roedden nhw'n gymaint o fabis â Moi. Ond doedd Dyfrig ddim yn fabi ac roedd e'n mynd i brofi unwaith ac am byth nad oedd dim byd i'w ofni yn Coed Du.

Brasgamodd Dyfrig ar draws sgwâr y pentref ac anelu i lawr y ffordd gul am yr ysgol. Wrth iddo droi am y giât fochyn oedd yn arwain i Goed Du, gallai weld Annie a Merched Byddin y Tir wrthi am y gorau'n atgyweirio ffensys mewn cae yn is i lawr y bryn. Gallai glywed y merched yn chwerthin ac yn cadw reiat wrth lifio a chnocio'r polion i'w lle. Roedd Dyfrig ar fin codi llaw arnyn nhw pan gofiodd fod Annie wedi'i rybuddio ef a Moi dros swper neithiwr i gadw'n glir o Goed Du. Er mai dim ond ceisio profi i'w frawd bach nad oedd dim i'w ofni yno yr oedd Dyfrig, gofidiai y byddai Annie'n ceisio'i rwystro rhag mynd. Felly sleifiodd Dyfrig drwy'r giât fochyn yn y gobaith nad oedd neb o ferched Byddin y Tir wedi'i weld...

Cerddodd Dyfrig ar draws y caeau ac i fyny'r bryn tua'r goedwig hynafol. Cyn bo hir gallai weld y coed yn codi o'r ddaear fel gwaywffyn balch a gwyddai y byddai'n camu i mewn i'r goedwig mewn cwta eiliadau. Wrth iddo grafangu dros y wal gerrig sych oedd yn drwch o fwsog, clywodd sŵn y tu ôl iddo. Sŵn ebychiad.

Trodd Dyfrig fel mellten a gweld Moi'n cuddio yng nghysgod y gwrych gerllaw. Roedd draenen wedi bachu yn ei hosan ac roedd golwg druenus arno wrth iddo drio torri'n rhydd.

'Beth ti'n 'i neud 'ma?' holodd Dyfrig yn flin.

'Paid â mynd 'nôl i'r bwthyn, Dyf. Plîs...'

Sylweddolodd Dyfrig fod Moi wedi'i

ddilyn o lech i lwyn bob cam o'r pentref ac roedd y crych o gonsýrn dwfn ar ei dalcen yn awgrymu ei fod yn becso'i enaid am gynllun gwallgof Dyfrig i ddychwelyd i'r bwthyn ar ei ben ei hun bach. Er gwaethaf y sgarmes gynharach, doedd Moi ddim am i ddim byd ddigwydd i'w frawd mawr.

''Sdim rhaid i ti brofi dim byd i fi. Wir...'

Cyffyrddwyd Dyfrig i'r byw pan sylweddolodd gymaint roedd Moi'n becso amdano a meddalodd ei galon pan welodd fod llygaid lliw siocled ei frawd bach yn byllau dwfn o bryder.

'O, Moi,' meddai'n addfwyn. ''Sdim bwgan yn y bwthyn. Dwi'n gwbod dy fod ti'n meddwl bod 'na un, ond dychmygu wnest ti – wir nawr. Dwi'n moyn profi hynny i ti achos alli di ddim mynd trwy dy fywyd yn ofni rhywbeth sy ddim yn bod...'

'Glywes i rywbeth!'

'Gwynt? Gwiwer?'

Ysgydwodd Moi ei ben yn benderfynol.

'Paid mynd yn ôl 'na, Dyf,' plediodd. 'Plîs. Sa i'n moyn i ddim byd ddigwydd i ti...'

''Sdim dim byd yn mynd i ddigwydd i fi,' mynnodd Dyfrig. 'All bwgan ddim neud dim byd i berson – hyd yn oed petai'r fath beth yn bod...'

'Ti ddim yn gwbod hynny!' mynnodd Moi, a nodyn o bryder yn ei lais.

'Edrych, alli di aros amdana i fan hyn,' meddai Dyfrig.

'Alla i ddim gadael i ti fynd lan 'na ar ben dy hunan bach, chwaith!' cynyddodd pryder Moi.

'Dere 'da fi, 'te...' meddai Dyfrig.

Gwelwodd Moi.

'Mae Dad wastad yn gweud y dylen ni wynebu ein hofnau,' atgoffodd Dyfrig e'n dyner.

'Plîs paid â mynd lan 'na!' erfyniodd Moi arno eto. 'Plîs...'

Ond doedd dim troi ar Dyfrig ac er gwaethaf pledio a phrotestiadau Moi, trodd ei gamau'n bwrpasol tua'r goedwig. Gwreiddiwyd Moi i'r unfan wrth iddo'i wylio'n camu i dywyllwch y coed. Mewn eiliad, roedd Dyfrig wedi diflannu.

Tynnodd Moi anadl ddofn. Yna, er bod pob gewyn yn ei gorff yn sgrechian eu protest, ac er mai'r peth olaf yn y byd yr oedd eisiau'i wneud oedd dilyn, mentrodd Moi i'r goedwig ar ôl Dyfrig. Allai e ddim gadael i Dyfrig fynd lan i'r bwthyn ar ei ben ei hun bach. Allai e ddim...

Plymiodd y tymheredd yr eiliad y camodd Moi i mewn i'r goedwig – yn union fel y gwnaeth y diwrnod cynt – ond rhoddodd Dyfrig winc gadarnhaol i Moi pan welodd e wrth ei sawdl.

'Gw'boi!' meddai. 'Fydde Dad yn browd...'

Wenodd Moi ddim. Roedd e'n groen gŵydd i gyd a'i lwnc yn sych grimp. Er bod Dyfrig yn siarad pymtheg yn y dwsin wrth iddyn nhw gerdded yn bwyllog drwy'r coed a'r llwyni, dorrodd Moi ddim gair.

Dilynodd y ddau y llwybr drwy'r coed, heibio'r llwyni a'r drain lle gwibiodd y ffesant mas ohono, heibio'r pwll yn y nant lle y dalion nhw'r brithyll, heibio gweddillion y pysgodyn oedd yn fyw o bryfed erbyn hyn, gan fynd yn ddyfnach ac yn ddyfnach i mewn i'r goedwig nes daethon nhw at y bwthyn yng nghysgod y graig.

Llifodd ton o chwys oer ar hyd coesau Moi. Roedd ei grys yn glynu i'w gefn wrth iddo syllu ar yr adeilad. Edrychai hyd yn oed yn fwy truenus yr olwg na'r diwrnod cynt.

Roedd tyllau du'r ffenestri fel pe baen nhw'n rhybuddio'r bechgyn i gadw draw ac ofnai Moi fod yr iorwg oedd yn prysur lyncu'r bwthyn yn mynd i'w llyncu hwythau hefyd. Roedd ei stumog yn troi, ac er gwaethaf ei bryder am Dyfrig, methai roi un droed o flaen y llall a dilyn ei frawd i fyny'r llwybr graean tua drws y bwthyn. Allai e ddim. Y cwbl y gallai ei wneud oedd sefyll fel delw ar y llwybr, a'i galon yn rasio cymaint nes ei bod hi'n bygwth dianc o'i gorff. Trodd Dyfrig a gweld y cryndod yng nghoesau ei frawd bach.

'Edrych, aros di yn y fan 'na,' meddai'n garedig. 'Ti wedi neud yn dda i ddod cyn belled. Af i i mewn i'r bwthyn a rownd y stafelloedd i neud yn siŵr nad oes bwgan 'na. Wedyn ddo' i 'nôl mas a phrofi i ti – unwaith ac am byth – sdim byd o gwbl i fecso amdano, ocê?'

Y cyfan wnaeth Moi oedd rhoi hanner nòd cyn i'r cryndod yn ei goesau feddiannu gweddill ei gorff. Ynganodd yr un gair wrth iddo wylio Dyfrig yn troedio'r llwybr yn dalog. Gwthiodd Dyfrig yr hyn oedd yn weddill o ddrws pwdr y bwthyn yn agored. Unwaith yr roedd yn y cyntedd, llanwyd ei ffroenau â'r hen arogl llaith, cyfarwydd. Gwthiodd ei ben heibio i ddrws y stafell fyw a gweld nad oedd yna neb na dim yno – yn ôl y disgwyl.

'Fyddi di'n falch o glywed nad oes 'na ddim byd yn y stafell fyw, Moi!' gwaeddodd.

Yna sleifiodd Dyfrig i mewn i'r gegin a gweld bod popeth yno'n union yr un fath â'r diwrnod cynt. Roedd y tuniau gweigion, y cwpanau a'r plat tun tolciog yn dal yn eu llefydd ac roedd yr hen gadair dderw ddrylliedig yn dal i edrych yr un mor drist yn y gornel.

'Hei, Moi! Sdim bwgan yn y gegin, chwaith!' bloeddiodd yn ddireidus, cyn troi am yr hen risiau pren. Dringodd Dyfrig fesul gris ac ymhen dim o dro roedd e'n sefyll yn y stafell wely gyntaf. Llifai'r golau i mewn iddi drwy'r twll salw yn y to ac wedi cymryd cip o'i gwmpas, camodd tua'r ffenest. Gallai weld Moi yn dal i sefyll fel delw ar y llwybr. Dechreuodd chwifio'i fraich a chodi bawd arno.

'Iŵ-hŵ! Dwi lan fan hyn,' cellweiriodd. 'A ti'n gwbod beth? 'Sdim sôn am fwgan yma, chwaith. Un stafell fach arall a fydda i wedi bod drwy'r bwthyn i gyd! A fyddi di'n gwbod wedyn mai fi o'dd yn iawn, gw'boi...'

Gwelodd Moi ei frawd yn diflannu o'r ffenest a phrysurodd Dyfrig ei gamau ar draws y coridor i'r ail stafell wely. Roedd drws y stafell honno ar gau. Cydiodd yn y bwlyn a'i droi. Teimlai'r drws yn drwm a chan na throdd y bwlyn yn esmwyth, rhoddodd Dyfrig bont ei ysgwydd yn erbyn y pren a'i wthio. Gwichiodd y drws yn agored. Camodd yntau drwyddo. Dyna pryd y cododd ffigwr tywyll o'r pentwr dail crin ym mhen pellaf y stafell!

Yn sydyn, clywodd Moi sgrech iasoer yn dod o grombil y bwthyn...

6

Doedd Dyfrig ddim yn siŵr ai o'i geg e neu
o geg y gŵr penfelyn talsyth yn y gornel y
daeth y sgrech. Roedd llygaid glasddu'r gŵr
yn treiddio trwy gorff Dyfrig ac er ei fod yn
frwnt ac anniben, roedd pob gewyn o'i gorff
yn ddisgybledig dynn, yn barod i ymosod.

'Y...flin gen i...ym, flin gen i os godes i
ofn arnoch chi,' ffendiodd Dyfrig ei lais, er ei
fod yn swnio'n bell i ffwrdd.

Daliai'r dyn i rythu arno. Bron na allai
Dyfrig rwystro'i goesau rhag disgyn oddi
tano.

'Doeddwn i ddim yn meddwl tarfu arnoch
chi,' ymddiheurodd eto, a dechrau camu'n ôl
tua'r drws yn araf wrth iddo sylweddoli ei
fod wedi tarfu ar wâl trempyn. Doedd Dyfrig
ddim am wneud unrhyw symudiad sydyn,
rhag ofn iddo gynhyrfu'r dieithryn a rhoi
rheswm iddo ymosod arno.

'Sori...'

Cododd y gŵr ddwy law grynedig gan
amneidio ar Dyfrig nad oedd eisiau ei ddychryn.

'It ok...' daeth llais.

Sylweddolodd Dyfrig ar unwaith mai siarad Saesneg oedd y dieithryn. Doedd yntau ddim yn arfer siarad Saesneg. Dwy wers yr wythnos roedden nhw'n eu cael yn yr ysgol a Chymraeg a siaradai bawb yn Bont-ddu. Ond roedd rhywbeth yn rhyfedd am acen y gŵr, hefyd. Cyrliodd gwefusau Dyfrig ryw ychydig – i ddangos ei fod wedi deall – ac ymlaciodd fymryn wrth feddwl bod y dieithryn siŵr o fod wedi ei ddychryn cymaint ag ef ei hun o gael ei ddeffro mor sydyn.

'I'm...ym...I'm very sorry to disturb you,' ychwanegodd Dyfrig mewn acen Gymraeg drom, 'but I didn't think...there was anybody here...'

Rhoddodd y tramp hanner nòd o ddeall-twriaeth.

'I'll go now,' meddai Dyfrig ac fe dorrodd gwên fach ar ei wyneb wrth iddo sylweddoli mai dyma'r 'bwgan' yr oedd Moi wedi ei glywed am y pared ag ef y diwrnod cynt. Byddai bois y pentref wrth eu bodd â'r stori hon, meddyliodd. Wrth iddo droi yn ei ôl am y drws gwelodd Dyfrig ei fod wedi bwrw cot frethyn hir y gŵr oddi ar fachyn y drws wrth iddo'i wthio'n agored. Roedd y got yn damp ac yn fwdlyd. Plygodd i'w rhoi yn ôl ar y bachyn ac wrth wneud hynny, sylwodd ar fathodyn crwn wedi'i wnïo'n ddestlus ar ei chefn. Roedd tair llythyren ar y bathodyn: P.O.W.

Syllodd Dyfrig arnyn nhw.

P.O.W.

Prisoner of War.

PRISONER OF WAR!

Methodd calon Dyfrig guriad.

Nid trempyn oedd y gŵr penfelyn hwn felly... ond Almaenwr!

Rhewodd Dyfrig. Gwelodd yr Almaenwr fod y bachgen wedi sylweddoli'r gwir amdano. Clodd llygaid y ddau. Cododd y tyndra rhyngddyn nhw. Mewn llai na chwarter eiliad, hyrddiodd Dyfrig ei hun drwy'r drws.

Erbyn hyn, roedd Moi hanner ffordd i fyny grisiau brwnt y bwthyn pan glywodd Dyfrig yn rhuthro i lawr coridor y llofft yn sgrechian fel gwallgofddyn.

'Dyf? Ti'n iawn?' holodd ei frawd. Gallai weld fod rhywbeth mawr, mawr o'i le.

'Rhed!' bloeddiodd Dyfrig.

'Ti wedi gweld y bwgan?' holodd Moi, ei lygaid yn llawn arswyd.

'Rheeeed...'

Cydiodd Dyfrig yn Moi a'i daflu tuag yn ôl wrth i'r Almaenwr ymddangos ar dop y grisiau.

'P... pwy yw hwnna?' bloeddiodd Moi.

'Almaenwr!'

'E?'

'Carcharor Rhyfel! Rhed!'

Syllodd Moi mewn anghrediniaeth. Dim ond un peth oedd yn waeth na bwgan, ac Almaenwr oedd hwnnw!

Dechreuodd y dieithryn redeg i lawr y grisiau ar eu hôl gan regi mewn Almaeneg. Llamodd Dyfrig a Moi i lawr y pedair gris isaf cyn hedfan dros y llawr llechen ar y gwaelod a rhedeg nerth eu traed trwy ddrws ffrynt y bwthyn.

Prin y cyffyrddodd eu traed y llawr wrth iddyn nhw sgrialu ar hyd llwybr yr ardd gan chwalu'r graean i bob cyfeiriad wrth i'r adrenalin dasgu drwy eu gwythiennau. Sgrechiai eu hysgyfaint gan boen. Crafangai llwyni a mieri llawr y goedwig am eu traed ond gwyddai Dyfrig a Moi fod yn rhaid iddyn nhw redeg. Yn gynt. Yn gynt. Ac yn gynt. Roedden nhw wedi clywed bod yr

Almaenwyr wrth eu bodd yn poenydio, arteithio a lladd – gwragedd, babis a phlant. Roedden nhw'n siŵr y byddai ar ben arnyn nhw petai'r Almaenwr yn eu dal. Byddai'n eu lladd. Yn eu gadael yn gelain. Edrychodd Moi dros ei ysgwydd. Gallai weld yr Almaenwr yn rhedeg ar hyd llwybr y bwthyn yn chwifio'i freichiau gan weiddi rhywbeth estron atyn nhw.

'Mae e'n dod!' sgrechiodd Moi. 'Mae e'n dal ar ein holau ni...'

Cyflymodd Dyfrig ei gam a thaflu cip frysiog yn ôl i weld faint o fwlch oedd rhyngddyn nhw ag e. Wrth iddo wneud hynny, trawodd ei esgid yn erbyn boncyff a chlymodd ei garai'n sownd mewn gwreiddyn coeden. Cafodd ei hyrddio i'r llawr a disgynnodd gydag un ebychiad caled.

Trodd Moi a gweld Dyfrig ar ei hyd.

'Cwyd!'

Symudodd Dyfrig ddim.

'Cwyd!' bloeddiodd Moi eilwaith. 'Nawr!'

Ond symudodd Dyfrig ddim gewyn.

Gorweddai ar ei ochr, ei gefn yn grwm a gwydr ei sbectol yn deilchion. Rhedodd Moi yn ei ôl a phlygu drosto. Gallai weld fod pob dafn o liw wedi diflannu o ruddiau ei frawd. Roedd archoll frowngoch ar ei dalcen. Roedd gwaed yn dechrau ffrydio ohoni.

'Dyfrig?' meddai Moi mewn arswyd. 'Dyfrig!'

Roedd llygaid Dyfrig ar gau. Ysgydwodd Moi ef. Dim symudiad. Ysgydwodd Moi ef eto. Dim. Dim byd. Yna, gwelodd waed ar garreg gyfagos oedd yn gwthio o'r pridd. Sylweddolodd fod Dyfrig wedi bwrw'i ben wrth gwympo. Daeth cryndod drosto. Doedd bosibl ei fod wedi marw?

'Dyfrig!' gwaeddodd. 'Dihuna!'

Ond symudodd Dyfrig ddim. Cynyddodd arswyd Moi.

'Dyfrig, plîs...'

Ond er gwaethaf yr erfyn taer, aros yn ei unfan wnaeth Dyfrig. Daliai i anadlu – yn ysgafn, ysgafn – ond roedd e'n hollol ddiymadferth. Wyddai Moi ddim beth i'w wneud na beth i'w ddweud. Roedd y dagrau'n bygwth dod. Pan gododd Moi ei ben, gwelodd fod yr Almaenwr yn cerdded o'i amgylch yn araf deg bach...

'Dyf!' gwaeddodd Moi. 'Plîs! Plîs dihuna...'

Parhau'n ddiymadferth yr oedd Dyfrig, er i

Moi geisio'i orfodi ar ei eistedd a'i lusgo ar ei draed. Ond doedd dim yn tycio.

'Dere. Mae e'n mynd i'n dal ni...' plediodd eto. Ond doedd dim diben iddo wastraffu'i anadl. Wrth i'r Almaenwr ddod yn nes, ac yn nes, ac yn nes eto, wyddai Moi ddim beth i'w wneud. Aros ac amddiffyn Dyfrig? Neu redeg ac achub ei hun? Roedd wedi ei barlysu gan ofn. Roedd yr Almaenwr mor agos nawr nes y gallai Moi weld cysgodion coch dan ei lygaid, craith amrwd yn hollti'i foch chwith a thwll du yn ei geg lle roedd bwlch dant coll. Er gwaethaf ei fygythiad, roedd rhyw lonyddwch yn perthyn iddo. Llonyddwch peryglus. Llawn drygioni. Agorodd yr Almaenwr ei geg i siarad.

'You! Don't move!' meddai'n bendant.

Cymerodd gam tuag at Moi. Edrychodd yntau i fyw'r llygaid glasddu. Yna neidiodd i'r awyr a sgrialu. Cyn i'r Almaenwr gael cyfle i ddweud rhagor, carlamodd Moi i gysgodion y coed. Gwyliodd y dieithryn e'n ffoi i'r tywyllwch, yna trodd ei olygon at Dyfrig. Plygodd yr Almaenwr drosto. Gwenodd.

7

Agorodd Dyfrig ei lygaid yn araf a cheisio edrych o'i gwmpas wrth i'r golau lifo i mewn iddyn nhw. Roedd ei ben yn hollti ac edrychai popeth yn niwlog, aneglur. Roedd e'n gorwedd ar wastad ei gefn yn rhywle ond doedd ganddo ddim syniad ble. Roedd y nenfwd frwnt uwch ei ben yn ddiethr ac wrth i Dyfrig graffu, sylweddolodd nad oedd e'n gwisgo'i sbectol. Ymestynnodd Dyfrig ei law a theimlo o'i gwmpas i weld os oedd honno o fewn cyrraedd yn rhywle, ond doedd dim sôn amdani. Allai Dyfrig ddim gweld ymhellach na'i drwyn hebddi ond yn sydyn, roedd e'n ymwybodol o gysgod yn symud tuag ato'n dawel ond yn gyflym. Ceisiodd graffu ar y ffigwr tywyll uwch ei ben. Plygodd hwnnw drosto. Rhewodd Dyfrig.

Yr Almaenwr!

Panic! Ceisiodd Dyfrig godi ar ei draed ond saethodd bwled o boen lan ei goes. Gwingodd wrth sylweddoli na allai roi unrhyw bwysau ar ei bigwrn chwith. Ond roedd yn rhaid – *rhaid* – iddo ddianc rhag yr Almaenwr!

Crafangodd ar draws y llawr gan orfodi'i hun i gropian mor belled ag y gallai oddi wrth ei elyn. Roedd ei galon yn curo'n galed ond gwyddai ei fod wedi ei gornelu yng nghegin y bwthyn...

Gwibiodd ei lygaid o gwmpas y stafell i weld a oedd ganddo unrhyw obaith o ddianc. Ond â'i bigwrn yn hunllef o boenus a'i ben yn hollti, gwyddai ei fod ar drugaredd yr Almaenwr. A doedd dim golwg o Moi! Ble allai hwnnw fod? Dychrynodd Dyfrig wrth feddwl fod yr Almaenwr wedi gwneud niwed i'w frawd bach.

'Ble ma Moi?' holodd yn wyllt.

Syllodd yr Almaenwr arno'n ddiddeall.

'My little brother!' Cofiodd Dyfrig nad oedd e'n deall Cymraeg. 'Where is he? What have you...done to him?'

Amneidiodd yr Almaenwr ddigon i Dyfrig allu deall fod Moi wedi dianc a llifodd ton o ryddhad drosto, cyn i'r don honno droi'n lwmp o iâ wrth iddo sylweddoli bod ei frawd bach wedi ei adael ar ei ben ei hun i wynebu'r Almaenwr. Roedd yn gobeithio i'r nefoedd fod Moi wedi mynd i chwilio am help. Ond gallai hynny gymryd oriau a gallai'r

Almaenwr fod wedi'i rwygo'n ddarnau a gwasgaru ei gorff drwy'r goedwig erbyn hynny, meddyliodd.

Tynhaodd pob gewyn yng nghorff Dyfrig wrth i'r dieithryn gymryd cam tuag ato. Cipiodd hen dun sbam gwag o'r pentwr gerllaw yn arf a'i chwifio o dan drwyn yr Almaenwr.

'Keep away from me ... y cythrel!'

'Put down,' meddai'r Almaenwr mewn Saesneg herciog, gan bwyntio at y tun sbam.

'Keep away!' bygythiodd Dyfrig eto gan chwifio ochor finiog y tun yn wyneb yr Almaenwr eilwaith.

'Put down. I help,' meddai'r Almaenwr yn dawel gan bwyntio at bigwrn Dyfrig.

Bwriwyd Dyfrig oddi ar ei echel. Doedd e erioed – erioed – wedi clywed am yr un Almaenwr yn cynnig helpu neb.

'I help,' meddai'r Almaenwr eto.

Syllodd Dyfrig arno gan geisio dyfalu beth oedd ei gêm? Lladd a dinistrio – dyna oedd yr Almaenwyr yn ei wneud fel arfer – a doedd e ddim yn mynd i adael i neb daflu llwch i'w lygaid a'i dwyllo. Felly, pan gamodd y dieithryn tuag ato, sgrechiodd Dyfrig a thaflu'r tun sbam ato. 'Naaaaaaa!'

Safodd yr Almaenwr ar hanner cam wrth i Dyfrig wasgu'i hun mor bell ag y gallai i gornel y stafell. Gwasgodd ei lygaid yn dynn gan ddisgwyl ymosodiad unrhyw funud. Ond yn hytrach, eisteddodd yr Almaenwr i lawr wrth ei ymyl a chroesi'i goesau.

Bu distawrwydd.

Ymhen eiliad, agorodd Dyfrig ei lygaid a gweld yr Almaenwr yn chwilota ym mhoced fewnol y bag canfas tywyll oedd ar y llawr gerllaw. Disgwyliai iddo dynnu cyllell neu ddryll mas, ond yn hytrach, tynnu hen gerdyn post wedi melynu o blygion y bag wnaeth yr Almaenwr. Daeth cysgod gwên i'w wyneb wrth iddo anwylo ochrau cyrliog y cerdyn. Yna fe'i dangosodd i Dyfrig.

Roedd llun bachgen a merch yn gwenu a chwifio'u breichiau ar y cerdyn. Rhaid bod y bachgen tua'r un oed ag e, meddyliodd Dyfrig. Roedd ganddo fop o wallt melyn, llygaid glasddu a chefnen o frychni ar ei fochau. Gwisgai gap pig gloyw ar ei ben ac roedd bresus llydan yn dal ei drowsus bach.

'Emil,' meddai'r Almaenwr. 'Father,' ychwanegodd, gan bwyntio ato'i hun.

Sylweddolodd Dyfrig mai dangos llun

o'i fab iddo yr oedd. Yna pwyntiodd yr Almaenwr at y ferch fach eiddil oedd yn sefyll ger y bachgen. Roedd hi'n llai ond roedd ei gwallt hithau'n olau ac roedd clip yn dal cudyn strae o'i llygaid mawr crwn. Roedd hi'n gwisgo ffrog flodeuog fer â llewys tri chwarter, a phâr o sandalau ysgafn a sanau gwynion am ei thraed. Swatiai ci bach crychiog o dan ei braich hefyd.

'Eva,' eglurodd yr Almaenwr. 'Daughter.'

Doedd gan Dyfrig ddim syniad pam roedd yr Almaenwr yn dangos y llun iddo.

'You same age. I no hurt you.'

Llygadodd Dyfrig e'n ddrwgdybus. Wyddai e ddim a ddylai ei gredu. Roedd wedi clywed mor aml mai cythreuliaid mewn croen oedd yr Almaenwyr, ond eto roedd y gŵr o'i flaen yn cynnig y cerdyn post iddo gael golwg fanylach arno.

'I miss them,' meddai'n hiraethus.

Parhaodd Dyfrig i lygadu'r Almaenwr. Am eiliad, fe'i temtiwyd i gymryd y cerdyn. Ond wnaeth e ddim. Felly rhoddodd yr Almaenwr y cerdyn i lawr wrth ymyl Dyfrig a gadael iddo syllu arno. Yna, trodd ei olygon at bigwrn y bachgen.

'Pain *ia?*' holodd. 'Ouch?'

Allai Dyfrig ddim gwadu nad oedd y boen yn gwneud iddo deimlo'n benysgafn. Edrychai ei bigwrn fel pledren mochyn, y cnawd yn dyner a phiws, yn gwthio o'i esgid. Teimlai'n dynn, dynn, fel petai'n gwasgu ei droed.

'Me help,' meddai'r Almaenwr eto. Ond roedd Dyfrig yn parhau'n amheus.

'Are you a doctor?'

'Son of doctor,' atebodd. 'I look?' gofynnodd, gan bwyntio at y bigwrn.

Doedd Dyfrig ddim eisiau i'r Almaenwr gyffwrdd ynddo. Cawsai hunllef ar ôl hunllef am Almaenwyr yn ei erlid, ei ddal a'i guro ac roedd ofn arno y byddai bysedd estron y gŵr yn toddi drwy'i gnawd ac yn gwasgu ei esgyrn yr eiliad y cyffyrddai ag ef. Ond gwyddai nad oedd ganddo ddewis mewn gwirionedd. Hyd yn oed petai'n gwrthod, gallai'r Almaenwr wneud fel y mynnai ag ef. Ddywedodd Dyfrig ddim byd a chymerodd yr Almaenwr ei fod e'n cael caniatâd i'w gyffwrdd. Symudodd tuag ato. Roedd corff Dyfrig yn stiff fel procer wrth iddo estyn am ei bigwrn. Disgwyliai deimlo poen affwysol ond roedd bysedd yr Almaenwr yn dyner a medrus wrth iddo archwilio'i goes, er bod dan ei ewinedd yn ddu gan bridd – pridd o'r twnnel allan o Island Farm, mae'n siŵr, meddyliodd Dyfrig wrtho'i hun.

'Shoe off,' meddai'r Almaenwr wedi munud neu ddwy.

Griddfanodd Dyfrig wrth i'r Almaenwr geisio tynnu'i esgid. Gwyddai ei fod e'n achosi dolur i Dyfrig wrth iddo drio'i thynnu.

'Es tut mir leid,' meddai. 'Sorry…'

Roedd Dyfrig yn gegrwth pan ddechreuodd ymddiheuro. Roedd tynnu ei hosan dipyn yn haws. Pan roddodd yr Almaenwr hi o'r neilltu daeth yn amlwg fod ei bigwrn bron ddwywaith ei faint arferol. Astudiodd yr Almaenwr e am ennyd bellach gan chwilio am y geiriau cywir i ddisgrifio'r hyn a welai.

'Du hast Dir den Knöchel gebrachen,' meddai, gan ystumio'i fod e'n meddwl fod Dyfrig wedi ei dorri neu wedi ei droi'n ofnadwy o ddrwg, '– or twist – it bad…'

Cododd yr Almaenwr yn ddisymwth a cherdded o'r stafell. Edrychodd Dyfrig yn ansicr tua'r drws gwag. Doedd ganddo ddim syniad beth oedd yn digwydd. Oedd yr Almaenwr wedi mynd a'i adael? Oedd e'n mynd i ddod 'nôl? Allai Dyfrig ddianc? Rasiai'r cwestiynau drwy ei feddwl. Ond yna clywodd sŵn gwich y drws cefn a thraed yn dynesu. Daeth clanc metel o'r coridor, melltithio a sŵn trochiad o ddŵr yn bwrw'r llawr llechen. Yna ailymddangosodd yr Almaenwr yn cario bwced haearn. Roedd y bwced cyn hyned â phechod, â mymryn o rwd a gwyrddni o gylch ei geg, ond sodrodd yr Almaenwr e o flaen Dyfrig. Roedd yn llawn i'r ymylon o ddŵr glaw. Wyddai Dyfrig ddim beth oedd e i fod i'w wneud nesaf. Yna llusgodd yr Almaenwr yr hen gadair dderw ar draws llawr y gegin a'i gosod wrth ei ymyl. Amneidiodd ar y bachgen i eistedd ynddi. Llygadodd yntau'r dieithryn yn amheus cyn stryffaglu i godi. Wrth iddo duchan, teimlodd ddwy fraich gref yn ei godi o'r tu ôl a'i osod yn y gadair fel petain bluen.

'Foot...in water,' amneidiodd.

Doedd Dyfrig ddim yn deall pam oedd angen iddo fe roi ei bigwrn mewn dŵr. Symudodd yr un gewyn.

'Brrrr. Cold. Good for swell,' eglurodd yr Almaenwr yn swta.

Cofiodd Dyfrig i Annie ddweud wrtho slawer dydd fod gosod rhywbeth oer ar anaf yn helpu i ladd y boen ac yn araf bach a chyda help yr Almaenwr fe ostyngodd Dyfrig ei bigwrn i mewn i'r bwced. Roedd y dŵr fel iâ a phan ddihangodd cri o enau Dyfrig, chwyrlïodd Moi yn sydyn drwy'r drws a brigyn coeden braff yn ei law. Cyn i'r Almaenwr gael cyfle i droi i'w wynebu, cododd Moi'r brigyn uwch ei ben a'i fwrw'n galed ar ei war. Cwympodd yr Almaenwr fel clwt wrth ei draed.

'Beth nath e?' llefodd Moi'n daer, ei wyneb llawn pryder. 'Beth o'dd y cythrel yn drio'i neud i ti?'

'Gwella 'mhigwrn i...' eglurodd Dyfrig.

Syllodd Moi arno'n syfrdan a gollyngodd y brigyn â chlec.

8

Cododd yr Almaenwr yn araf gan rwbio'i war. Wrth iddo droi i edrych ar y bechgyn, roedd Moi ar binnau. Wyddai e ddim a oedd yr Almaenwr yn mynd i wylltio a dechreuodd gilio er mwyn cuddio y tu ôl i Dyfrig. Er ei fod wedi cymryd y goes yn gynharach, roedd Moi wedi sylweddoli y byddai'n cymryd oes iddo gyrraedd y pentref i nôl help ac y gallai'r Almaenwr fod wedi gwneud pob math o niwed i Dyfrig erbyn hynny. Felly, er bod arno'r ofn mwyaf a deimlodd erioed, daeth 'nôl i geisio helpu'i frawd, gan na allai faddau iddo'i hunan petai rhywbeth yn digwydd iddo.

Wedi ei arfogi ei hun â'r brigyn praffaf y llwyddodd i'w ddarganfod, sleifiodd Moi yn ôl i'r bwthyn fel ysbryd a dilyn y lleisiau i'r gegin. Pan glywodd gri Dyfrig a gweld yr Almaenwr yn plygu drosto, tybiodd Moi fod ei frawd yn cael ei arteithio. Y peth diwethaf yr oedd yn ei ddisgwyl oedd clywed Dyfrig yn dweud mai ceisio ei helpu yr oedd y dieithryn. Doedd Moi ddim yn deall beth goblyn oedd yn digwydd ond rhoddodd ei stumog dro pan syllodd yr Almaenwr i fyw ei lygaid.

'It hurt,' meddai'n gryg gan fwytho'i war.

'Don't hurt him back!' ceisiodd Dyfrig amddiffyn Moi wrth i'r Almaenwr godi'r brigyn oddi ar y llawr.

'Nein,' atebodd yr Almaenwr gan daflu'r brigyn i ben draw'r stafell, yn bell o gyrraedd pawb.

'Ody e wedi neud dolur o gwbl i ti, Dyf?' sibrydodd Moi o gornel ei geg, heb dynnu ei lygaid oddi ar yr Almaenwr.

Ysgydwodd Dyfrig ei ben.

'Ond ma' nhw'n gweud bod yr Almaenwyr yn ffiaidd...' meddai Moi mewn penbleth.

'Dwi'n gwbod.'

'Pam fod e'n dy helpu 'te?'

Allai Dyfrig ddim egluro.

'A beth mae e'n neud lan yng Nghoed Du?' holodd Moi ymhellach.

Doedd Dyfrig ddim yn gwybod yr ateb i hynny chwaith.

'Dyw e byth yn mynd i ffendio'i ffordd yn ôl i'r Almaen os yw e'n dianc i gyfeiriad y gogledd yn hytrach na'r dwyrain...'

'Rhaid 'i fod e ar goll...'

Roedd hynny'n gwneud synnwyr. Wedi'r cwbwl, cafodd pob arwydd ffordd ar hyd a lled y wlad ei dynnu i lawr ar ddechrau'r rhyfel er mwyn drysu'r gelyn a'u rhwystro rhag ffendio'u ffordd petaen nhw'n digwydd glanio ym Mhrydain. Os nad oedd rhywun yn adnabod ardal fel cefn ei law, roedd hi'n bosib mynd ar goll yn syth ac efallai mai dyna oedd wedi digwydd i'r Almaenwr.

Tawelodd y brodyr pan dynnodd y dieithryn hances wen o'i boced. Gwyliodd y ddau e'n gwlychu un gornel ohoni a'i chynnig i Dyfrig, gan amneidio arno i sychu'r gwaed oddi ar ei wyneb. Doedd Dyfrig ddim wedi sylweddoli fod ffrwd frowngoch wedi llifo i lawr ei wyneb o'r clwyf ar ei dalcen a doedd glanhau'r llanast ddim yn hawdd. Rhaid oedd iddo rwbio'r gwaed sych yn galed ac achosai hynny boen i'r croen tyner o gwmpas y clwyf. Unwaith roedd y croen yn lân, amneidiodd yr Almaenwr ar Dyfrig i droi ei wyneb tua'r golau er mwyn iddo fedru astudio'r anaf.

'Not deep. You fine...'

Nodiodd Dyfrig a rhaid oedd iddo gyfaddef fod y dŵr oer o'r bwced haearn wedi lladd cryn dipyn ar y boen yn ei bigwrn. Roedd yn amlwg fod yr Almaenwr yn gwybod sut i'w helpu ond roedd hi yr un mor amlwg fod Moi yn dal yn ofnus iawn. Gwyliai bob symudiad o'i eiddo fel barcud a gallai'r Almaenwr deimlo'i lygaid fel cyllyll yn ei gefn.

Croesodd yntau at ei fag canfas tywyll a dechrau chwilota unwaith eto. Wedi eiliad neu ddwy, tynnodd dun o grombil y bag a synnodd Moi a Dyfrig o weld mai tun corn bîff oedd ganddo. Doedden nhw heb weld un o'r rheini ers misoedd.

'Food?' holodd yr Almaenwr.

Roedd y ddau'n llwgu. Doedd yr un ohonyn nhw wedi cael tamaid i'w fwyta ers ben bore. Roedd Moi wedi gobeithio perswadio'i fam i fynd â nhw i gaffi Buttereleias yn y dref ond wedi'r ffiasgo gyda'r wyau, doedd Moi ddim wedi mentro gofyn, gan ei fod yn gwybod y byddai wedi cael pryd o dafod hallt. Roedd hi'n anodd ganddo gredu bod yr Almaenwr wedi cael gafael ar dun corn bîff. Rhaid bod gwirionedd yn y stori am garcharorion rhyfel yn cael gwell bwyd na nhw gan fod rhyw Gonfensiwn Genefa gwallgof yn dweud bod yn rhaid i garcharorion gael eu trin yn waraidd.

Gwyliodd y brodyr yr Almaenwr yn agor y tun corn bîff yn ddeheuig gyda'r allwedd fach fetel oedd ar ochr y tun a phan dynnodd e'r caead yn ei ôl, llanwyd ffroenau'r ddau ag arogl cig bendigedig. Brechdan gorn bîff a betys oedd hoff frechdan Moi. Cyn i bethau fynd yn llwm yn sgil y dogni, bydden nhw'n cael corn bîff yn rhif 2 Teras Bryn Bugail weithiau – fel arfer i swper ar ôl capel ar nos Sul. Ond pan gynigiodd yr Almaenwr ddarn iddo, gwrthod wnaeth Moi.

'Paid â chymryd dim,' meddai wrth Dyfrig, 'rhag ofn 'i fod e'n trio'n gwenwyno ni...'

Felly, dechreuodd yr Almaenwr fwyta'r corn bîff ei hunan a daeth yn amlwg nad oedd sail i'w hofnau. Wedyn, pan gynigiodd ddarn ohono i Dyfrig, fe fentrodd gymryd ychydig. Ac yn wir, roedd blas da ar yr haenen o frasder gwyn oedd o gylch y cig piwsgoch. Wrth iddo feddalu'n braf yn ei geg, cynigiodd yr Almaenwr ddarn i Moi eilwaith gan fod dŵr yn dod o'i ddannedd wrth syllu ar Dyfrig yn bwyta'n awchus. Gan na wrthododd e'n syth yr eildro, estynnodd yr Almaenwr damaid iddo, ac er ei fod yn teimlo'n euog yn cymryd bwyd gan y gelyn, cnôdd Moi i mewn i'r cig. Doedd dim amheuaeth, roedd e'n blasu fel nefoedd ar y ddaear ac am funud bu'r tri'n cnoi'n dawel heb ddweud dim.

Yna sylwodd Moi ar y cerdyn post â llun y bachgen a'r ferch arno wrth ymyl bag canfas yr Almaenwr.

'Ei blant e yw'r rheina,' sibrydodd Dyfrig, a deallodd yr Almaenwr eu bod nhw'n siarad am ei deulu.

'Live near Hamburg,' meddai.

Roedd Dyfrig a Moi wedi clywed am Hamburg. Dinas rywle yng ngogledd yr Almaen oedd hi. Meddyliodd y ddau'n syth y gallai eu tad fod yno'n ymladd yr eiliad honno – ond doedd yr un ohonyn nhw am ddweud hynny – rhag ofn iddyn nhw droi'r drol a chythruddo'r Almaenwr.

'You live – where?' gofynnodd.

'Paid â dweud wrtho fe Dyf...' rhybuddiodd Moi.

'Not far,' atebodd Dyfrig gan osgoi'r cwestiwn.

'You two. Just you two out today?'

'Paid ag ateb!' sibrydodd Moi eto.

Roedd hi'n amlwg fod yr Almaenwr am

wybod a oedd yna rywun arall gyda'r bechgyn yn y goedwig. Ond pe bai yna rywun gyda nhw, fe fydden nhw wedi dod i'w hachub erbyn hyn, yn enwedig wedi'r holl weiddi.

'Fydd e wedi gweithio mas ein bod ni ar ein penne'n hunain,' meddai Dyfrig. Llyncodd Moi'n galed wrth feddwl y gallai'r Almaenwr wneud fel y mynnai â nhw gan na fyddai neb yn eu clywed yn gweiddi am help. Yna cafodd y bechgyn dipyn o sioc.

'Football. You like?' gofynnodd yr Almaenwr, gan dynnu tun baco oedd yn grafiadau i gyd mas o'i boced. Roedd Moi'n adnabod y tun. Dyna'r un oedd wedi'i weld ar y sil ffenest yn y stafell wely ffrynt y tro diwethaf. Yr un oedd Moi wedi meddwl ei roi i Annie. Wrth i'r Almaenwr gynnau'r unig sigarét denau oedd ar ôl ynddo, nodiodd Moi.

'Me too,' meddai'r Almaenwr, gan sugno'r mwg glas yn ddwfn i'w ysgyfaint. 'Team? Which you like?'

'Aberdufaes...' atebodd Moi heb feddwl. Ebychodd Dyfrig.

'Twpsyn! Ti newydd roi cliw iddo fe ble ry'n ni'n byw...'

Suddodd calon Moi. Roedd yr Almaenwr

wedi cael y gorau arno. Os oedd ar goll, byddai'n gwybod ei fod e rywle ar bwys Aberdufaes bellach a byddai'n sylweddoli 'i fod e'n mynd tua'r gogledd yn hytrach na'r dwyrain. Ond os gwnaeth e sylweddoli, roedd yr Almaenwr yn cuddio hynny'n dda.

'Emil like football,' meddai. 'We play... what...er...what...um...what you play?'

Doedd Dyfrig na Moi ddim yn deall ei gwestiwn a chwiliodd yr Almaenwr am eiriau eraill i'w helpu.

'Center? . . . Wing? . . . Um . . . maybe goal?' holodd.

'O, I'm centre forward,' meddai Dyfrig. Yna pwyntiodd at Moi. 'Left back.'

'Oh, Emil too. Me, goal,' pwyntiodd yr Almaenwr ato'i hunan.

'Like our dad.'

Gwenodd yr Almaenwr a meddalodd ei wyneb. Gwenodd Dyfrig a Moi hefyd wrth iddyn nhw feddwl am y gêmau pêl-droed roedden nhw wedi'u chwarae y tu fas i rif 2 Teras Bryn Bugail cyn i'w tad fynd i ffwrdd. Am eiliad, anghofiodd y tri am y rhyfel, yr ymladd a'r gelyn wrth iddyn nhw feddwl am y pleser roedden nhw wedi'i gael â'r bêl gron...

Yna, sylweddolodd Moi'n sydyn na fydden nhw fyth yn cael gêm bêl-droed arall gyda'u tad os na allen nhw ddianc rhag yr Almaenwr. Sobrodd.

'Dyf, shwt 'yn ni'n mynd i ddianc?' mwmiodd.

Dyna gwestiwn da. Er nad oedd yr Almaenwr wedi gwneud dolur iddyn nhw hyd yma, doedd hynny ddim yn golygu y byddai'n gadael iddyn nhw fynd yn rhydd o'r bwthyn. Roedd gan y carcharor garcharorion ei hun nawr ac ef oedd y meistr

''Sa i'n meddwl y galla i gerdded ar y droed 'ma. A sa i'n credu y gwnaiff e adel i ti fynd adref i nôl help, chwaith...' meddai Dyfrig yn dawel, gan droi at ei frawd.

'Sa i'n moyn mynd 'nôl...ddim hebddot ti! Beth os oes 'na fwy ohonyn nhw mas 'na?'

Doedd Dyfrig ddim wedi meddwl am hynny. Gallai'r ddau Almaenwyr arall oedd ar ffo fod yn prowla o gwmpas Coed Du am a wydden nhw.

'Beth 'yn ni'n mynd i neud?' meddai Moi, ei lais yn llawn tyndra.

'Sa i'n gwbod!'

'Mae'n rhaid i ni neud rhwbeth!'

Syllodd yr Almaenwr arnyn nhw'n dadlau.

'Home?' dyfalodd. 'Want to go home?'

'Are you going to let us?' gofynnodd Dyfrig.

Llygadodd yr Almaenwr nhw a daliodd y brodyr eu gwynt.

9

'Walk? Can you walk?' gofynnodd yr Almaenwr i Dyfrig gan bwyntio at ei bigwrn.

Wyddai Dyfrig ddim. Roedd y dŵr oer wedi lleddfu rhywfaint ar y boen ond roedd ei bigwrn yn dal wedi chwyddo. Edrychai bysedd ei droed chwith yn fach, fach yng ngwaelod y bwced, gan fod y cnawd wedi chwyddo'n fawr ac yn dynn o'u cwmpas.

'Dwed y galli di...' mynnodd Moi.

'E?'

'Falle mai hwn fydd yr unig gyfle gawn ni i adael...'

'Y...yes. I can walk,' meddai Dyfrig wrth yr Almaenwr, gan stryffaglu i godi o'r gadair dderw ddu. Llwyddodd i sefyll, ond pan geisiodd dynnu'i droed o'r bwced, syrthiodd yn bendramwnwgl i'r llawr. Trawodd y bwced yn sŵn i gyd wrth i'r dŵr lifeirio'n loyw dros bob man. Ddywedodd yr Almaenwr ddim byd ond gallai weld fod Dyfrig yn gwingo wrth geisio rhoi pwysau ar ei droed. Camodd Moi tuag at ei frawd.

'Helpa i di,' meddai, gan roi braich ei

frawd dros ei ysgwydd a chydio'n dynn yn ei wasg. 'Reit, pwysa arna i,' ychwanegodd, wrth iddyn nhw fentro symud yn simsan tuag at ddrws y gegin. Disgwyliai'r ddau i'r Almaenwr eu hatal unrhyw funud, ond symudodd e ddim. Dim ond eu gwylio'n feddylgar yn hercian o'r bwthyn.

Roedd y daith i'r drws yn farathon. Bob cam fel oes. Ond fe gyrhaeddon nhw, ac er eu bod nhw'n disgwyl i'r Almaenwr weiddi atyn nhw unrhyw funud, wnaeth e ddim. Ddim hyd yn oed pan gamon nhw drwy'r drws.

'Mae e'n mynd i adael i ni fynd, Dyf,' sibrydodd Moi, a sioc lond ei lais. 'Dwi'n credu falle'i fod e...'

Yr eiliad y cyrhaeddon nhw lawr llechen y cyntedd, ceisiodd Moi gyflymu eu camau, heb lawn sylweddoli cymaint o ymdrech oedd e i Dyfrig ddal i fyny gydag ef.

'Dal sownd...'

'Dere!' meddai Moi. 'Dere glou – cyn iddo fe newid 'i feddwl...'

Hanner llusgodd Moi ef i'w ganlyn ac er bod Dyfrig yn gwneud ei orau glas i gydsymud ag e, roedd yn amlwg yn cael trafferth i wneud hynny. A phan hanner cododd Moi ef dros riniog y bwthyn, glaniodd Dyfrig yn flêr ar ei droed iach gan dynnu Moi i'r llawr yn bendramwnwgl ar ei ben. Rhuthrodd ebychiad o rwystredigaeth o geg Dyfrig ac mewn eiliad, roedd yr Almaenwr yn hofran uwch eu pennau unwaith eto. Wyddai Dyfrig a Moi ddim beth oedd e'n mynd i'w wneud. Oedd e'n grac? Oedd e'n mynd i'w bwrw nhw? Neu oedd e'n mynd i wneud rhywbeth llawer, llawer gwaeth?

Crebachodd Dyfrig yn belen amddiffynnol wrth i'r Almaenwr estyn amdano. Ond y cwbl a wnaeth oedd ei helpu i godi ar ei eistedd ar y rhiniog. Yna trodd yn ddisymwth a diflannu o'r cyntedd.

'Dere Dyf! Co! Dyma'n cyfle ni i ddianc!'

'Cer di!'

'E?'

'Hebdda i Moi! Alla i fyth ddianc gyda'r pigwrn ma...'

'Dwi *ddim* yn dy adel di!'

'Cer! Cer...cyn iddo fe ddod 'nôl!'

Ond er gwaethaf protestiadau Dyfrig, cydiodd Moi ynddo a'i orfodi i godi ar ei draed. 'Ni'n mynd gyda'n gilydd!' mynnodd, ac wrth iddo lusgo Dyfrig tua'r llwybr graean daeth cysgod tywyll drostyn nhw wrth i'r Almaenwr lenwi ffrâm y drws ffrynt. Gwisgai fantell fawr ddu at ei draed, ei fag canfas ar ei gefn a'i got frethyn wlyb wedi'i chlymu i'w strapiau.

'You go nowhere,' meddai.

Oerodd gwaed Moi ac edrychodd yn ansicr ar Dyfrig. Roedd e'n ceisio dirnad a oedd yr Almaenwr yn mynd i'w cosbi ai peidio? Mewn gwirionedd, roedd synnwyr cyffredin yn dweud nad oedd e'n mynd i ganiatáu iddyn nhw'i adael oherwydd y funud y bydden nhw'n cyrraedd y pentref, fe fydden nhw'n dweud yr hanes i gyd wrth yr heddlu. Gwyddai'r Almaenwr y câi ei hela fel anifail a phetai'n cael ei ddal, byddai'n cael ei lusgo yn ôl i'r gwersyll carcharorion yn syth.

'Sori, meddai Dyfrig.

'Me sorry too,' atebodd yr Almaenwr.

Yna camodd at Dyfrig, gosod ei fraich dan ei ysgwydd a hanner ei sgubo oddi ar y llawr.

'Do same!' gwaeddodd ar Moi, ac er nad oedd ganddo syniad beth oedd yn digwydd, gwnaeth Moi yn ôl y gorchymyn rhag ofn iddo gynddeiriogi'r Almaenwr. Unwaith roedd y ddau'n cynnal pwysau Dyfrig, pwyntiodd yr Almaenwr yn ei flaen a dechreuodd y tri hercian yn araf a llafurus i lawr llwybr graean y bwthyn.

'Ble mae e'n mynd â ni?' sibrydodd Moi.

'Sa i'n gwbod...'

'Beth mae e'n mynd i neud â ni?' sibrydodd Moi eto, a phan ysgydwodd Dyfrig ei ben yn anesmwyth, dechreuodd ei frawd ddychmygu pob math o bethau erchyll. Doedd e erioed wedi bod yn garcharor o'r blaen ond roedd wedi clywed digon am y modd enbyd yr oedd Almaenwyr yn trin eu carcharorion. Cododd cyfog yn stumog Moi wrth i ddelweddau echrydus lifo o flaen ei lygaid. Beth os oedd yr Almaenwr yn mynd i fynd â nhw'n ddwfn i mewn i'r goedwig i'w lladd a chael gwared o'u cyrff? Fyddai neb yn meddwl chwilio amdanyn nhw yng nghrombil Coed Du, a gallai'r Almaenwr gael gwared ohonyn nhw mewn chwinciad. Beth petai'n eu gorfodi i dyllu bedd i'w hunain â'u dwylo cyn eu gwthio i mewn iddo'n ddiseremoni? Fyddai neb ddim callach. Os mai dyma'r cynllun, châi Moi fyth weld ei fam, na'i dad nag Annie eto. Châi e ddim chware pêl-droed o flaen rhif 2 Teras Bryn Bugail, na chwarae awyrennau gyda'r bechgyn. Châi e ddim prynu *liquorice sticks* fyth eto chwaith. A beth petai'r Almaenwr yn lladd Dyfrig yn gyntaf? Beth petai Moi'n cael ei orfodi i wylio? Beth petai e'n methu gwneud dim i'w rwystro? Os mai dyma oedd eu tynged, roedd Moi'n gweddïo y byddai'r Almaenwr yn cael gwared arno ef yn gyntaf.

'Edge,' meddai'r Almaenwr.

Edrychodd Moi a Dyfrig ar ei gilydd mewn penbleth.

'Edge,' meddai eto. 'We go.'

Doedd Moi na Dyfrig ddim yn deall.

'Beth mae e'n ei feddwl?' sibrydodd Moi.

'Wn i ddim,' atebodd Dyfrig. 'Ym...y-y-y ...edge of what?'

'Forst,' atebodd yr Almaenwr gan chwilio am y gair Saesneg. Pwyntiodd yr Almaenwr at goeden gan greu mwy o benbleth i'r bechgyn.

'Edge of tree?' sibrydodd Moi eto. 'Dyw hynna ddim yn neud synnwyr.'

Pwyntiodd yr Almaenwr at y goeden eto, gan fynd yn fwy a mwy rhwystredig.

'Wood?' holodd Dyfrig. 'Edge of wood?'

Yna cafodd fflach o ysbrydoliaeth. 'You want us to go to the edge of the woods?'

Nodiodd yr Almaenwr gan gynyddu penbleth y bechgyn.

'Pam mae e'n moyn i ni neud hynny?' gofynnodd Moi.

Doedd gan Dyfrig ddim syniad, ond o leiaf os oedd yr Almaenwr yn moyn iddyn nhw fynd i gwr y goedwig, doedd e ddim am eu harwain i grombil Coed Du. Roedd hyn yn rywfaint o gysur i Moi. Er hynny, doedd e na Dyfrig yn dal ddim yn deall yn iawn beth oedd yn digwydd ond fe garion nhw ymlaen i ymlusgo drwy'r goedwig. Doedd osgoi'r llwyni a'r mieri ddim yn rhwydd gan eu bod yn benderfynol o glymu'i hunain wrth hosanau Dyfrig a'i faglu. Yn araf bach, roedd yr ymdrech yn dechrau dweud arno. Er ei fod yn cael ei gynnal o'r ddwy ochr, roedd y straen o hercio ymlaen ar ei droed iach er mwyn arbed ei bigwrn tost rhag bwrw'r ddaear yn uffern. Teimlai ei bigwrn yn drwm ac roedd y pwysau'n tynnu ei glun i lawr tua'r llawr. Pwysai fwyfwy ar Moi. Gwnâi yntau ei orau glas i'w gynnal ond gwasgai ei ddannedd yn dynn gyda'r ymdrech. Gam wrth gam, lathen wrth lathen, roedden nhw'n hercian ymlaen ond pan gyrhaeddon nhw'r nant, aeth cynnal Dyfrig yn ormod i'w frawd bach. Cymerodd gam gwag a bu ond y dim iddo ollwng ei frawd yn swp i'r llawr. Roedd yr Almaenwr yn ddigon cadarn i'w atal rhag disgyn fodd bynnag a sadiodd y tri cyn pwyntio at garreg gnotiog ar bwys y nant.

'Sit,' meddai'n swta. 'Rest.'

Yna plygodd i lawr ar y lan a chwpanu dŵr croyw yn ei ddwylo a dechrau drachtio. Gwyliodd Dyfrig a Moi ef.

'Ble ti'n meddwl mae e'n mynd â ni?' sibrydodd Moi unwaith yn rhagor.

'Dwi wedi dweud unwaith! Dim syniad! Ond dyw hi ddim yn edrych fel tase 'na Almaenwyr eraill yma...'

'Shwt alli di fod mor siŵr?' holodd Moi, ei lygaid yn gwibio hwnt ac yma drwy'r coed.

'Ni heb weld neb,' meddai Dyfrig.

'Na...ddim 'to...'

Ystyriodd Dyfrig y geiriau a dechrau rhwbio'i goes dost er mwyn gwneud yn siŵr fod y gwaed yn cylchredeg.

'Ouch? Hurt?' torrodd yr Almaenwr ar draws ei feddyliau gan bwyntio at ei goes.

Nodiodd Dyfrig. 'Ouch…'

'No football. For you. For long time…' meddai'r Almaenwr. 'Nor for me. Um… maybe…maybe *I* learn rugby,' ychwanegodd gyda hanner gwên. 'You Welsh – like rugby, *ia?*'

Nodiodd Dyfrig a hanner gwenu yn ôl. Goleuodd wyneb yr Almaenwr.

'Drink?' amneidiodd yr Almaenwr at y nant.

'No.'

'Sure?'

'Sure.' Gwrthododd Dyfrig y cynnig. Ond yna dechreuodd chwilota trwy bocedi ei drywsus bach nes ffendiodd ei fag melysion. Roedd y cynnwys wedi chwysu a'i gwasgu'n stwnsh ond cynigiodd Dyfrig un i'r Almaenwr yr un peth.

'Beth ti'n neud?' hisiodd Moi.

'Paid â becso. Mae digon i ti hefyd,' meddai Dyfrig, gan estyn darn o daffi i'w frawd.

'Paid cynnig un iddo *fe*!' dwrdiodd Moi. '*Fe* yw'r gelyn!'

'Mae e wedi rhannu ei fwyd gyda ni,' atgoffodd Dyfrig e. 'A dyw e ddim wedi bod yn gas wrthon ni o gwbwl…'

'Na! Ddim 'to!' torrodd ei frawd ar ei

draws. 'Ond ti ddim yn gwbod beth mae e'n mynd i neud nesa…'

Cymerodd yr Almaenwr ddarn o daffi er gwaetha'r olwg sarrug ar wyneb Moi.

'*Danke*,' meddai.

'Diolch,' meddai Dyfrig.

'Diolc…' ailadroddodd yr Almaenwr sylw Dyfrig a chlodd llygaid y ddau mewn gwên.

Bu'r tri'n cnoi'n dawel am dipyn, yn mwynhau'r taffi triog wrth iddo lithro'n araf felys i lawr eu corn gwddw. Yna cododd yr Almaenwr ar ei draed ac amneidio ei bod hi'n amser iddyn nhw fynd. Rhoddodd ef a Moi fraich o gwmpas ysgwyddau Dyfrig ac unwaith y llwyddon nhw i sefyll ar eu traed, ailgychwynnodd y daith lafurus hyd lawr y goedwig. Wyddai'r bechgyn ddim i ble roedden nhw'n mynd ond fe wydden nhw y bydden nhw'n ffendio mas wrth gyrraedd cwr Coed Du.

'Ti'n meddwl falle 'i fod e'n mynd â ni i'r pentre?' gofynnodd Moi'n dawel.

'Hy! Callia! Fydde fe ddim yn cymryd y risg…'

'Ble arall mae e'n mynd â ni 'te? Beth mae e'n mynd i neud â ni?!'

'Sa i'n gwbod. Ond paid â becso…'

'Paid â becso? Paid â becso! Dyw'r ffaith 'i fod e wedi bwyta dy daffi di ddim yn gweud nag yw e'n mynd i ddial arnon ni…'

Roedd Moi'n iawn. Gwyddai Dyfrig eu bod nhw'n dal mewn perygl ac wrth iddyn nhw stryffaglio yn eu blaenau drwy'r coed talsyth, rasiai ei feddwl wrth iddo geisio dirnad beth yn union oedd yr Almaenwr yn bwriadu ei wneud â nhw. Roedd e'n anadlu'n galed wrth eu harwain drwy'r coed ac roedd Moi wedi ailddechrau gwasgu'i ddannedd yn dynn wrth i bwysau Dyfrig ei lethu.

Yn araf bach a fesul dipyn, dechreuodd y coed trwchus deneuo. Dechreuodd yr olygfa o'u cwmpas oleuo rhyw fymryn hefyd wrth i belydrau'r haul ymwthio'n ddigywlydd drwy'r gwyrddni. Cyn bo hir daeth y wal gerrig gyfarwydd oedd yn drwch o fwsog i'r golwg. Edrychodd Dyfrig a Moi ar ei gilydd yn bryderus. Roedden nhw wedi cyrraedd cwr Coed Du a doedd ganddyn nhw ddim syniad beth oedd yn mynd i ddigwydd nesaf.

'Edge, *ia?*' gofynnodd yr Almaenwyr gan synhwyro'r tensiwn yn yr awyr.

Amneidiodd Moi a Dyfrig i ddangos eu

bod nhw'n deall. Cysgododd yr Almaenwr ei lygaid rhag yr haul wrth iddyn nhw gamu o'r tywyllwch i'r goleuni. Gallai'r tri deimlo cynhesrwydd yr haul yn eu cofleidio.

'Sit,' gorchmynnodd yr Almaenwr, gan bwyntio at foncyff lle gallai'r bechgyn eistedd yn gyfforddus arno. Wedyn, hanner dringodd yntau i fyny'r wal. Yn araf a phwyllog, cymerodd sbec drosti. Yn y pellter gallai weld criw o ferched yn gweithio ar dractor i lawr wrth droed y bryn. Trodd ac amneidio ar Moi i ddringo i fyny ato.

Er bod clymau yn ei fol, gwnaeth Moi yn ôl y gorchymyn a llamodd ei galon pan sylweddolodd fod Annie a chriw Merched Byddin y Tir yn dal wrthi fel lladd nadredd islaw.

'Who they?' gofynnodd yr Almaenwr, ac er bod Moi eisiau sgrechian a gweiddi am help, gorfododd ei hun i gymryd arno nad oedd e'n eu hadnabod, rhag ofn iddo achosi trwbl iddyn nhw.

'You know?' gofynnodd yr Almaenwr eilwaith.

Ddywedodd Moi ddim byd ond roedd yr olwg euog yn ei lygaid yn gwneud i'r

Almaenwr amau fod rhywbeth ar droed felly aeth i nôl Dyfrig o'i eisteddle a'i hebrwng tua'r wal. Gyda help Moi fe'i cododd i eistedd ar ei phen.

'Look. Know them? Yes?'

Cydiodd Dyfrig yn dynn yng ngherrig sych y wal wrth iddo sbecian drosti. Pan welodd Annie a'i chriw islaw, llamodd ei galon.

'Yes we know them,' rhuthrodd y geiriau blith draphlith o'i geg, ond pan drôdd Dyfrig i edrych ar yr Almaenwr, roedd e wedi diflannu fel cysgod yn ôl i dywyllwch y goedwig.

10

Doedd dim golwg o'r Almaenwr. Arhosodd Dyfrig a Moi iddo ailymddangos – am funud, dwy, tair – ond roedd popeth yn llonydd ac yn anarferol o dawel. Dechreuodd calonnau'r ddau guro'n gyflym wrth i'w llygaid graffu drwy'r coed am unrhyw arwydd ohono, ond allen nhw weld dim. Roedd wedi diflannu oddi ar wyneb y ddaear.

'Dwi ddim yn deall,' meddai Moi'n ddryslyd. 'Ody e wedi mynd? Ody e wedi'n gadael ni?'

'Credu ei fod e,' atebodd Dyfrig yn gegrwth wrth iddo sylweddoli bod yr Almaenwr wedi eu hebrwng bob cam i ddiogelwch cyn diflannu. Doedd ganddo ddim bwriad i ddial arnyn nhw, felly. Yn hytrach, roedd wedi mentro popeth i'w harwain i ddiogelwch cyn diflannu fel ysbryd.

'Alla i ddim credu'r peth,' meddai Dyfrig, wrth iddo geisio ymgodymu â'r hyn oedd newydd ddigwydd.

'Ti'n siŵr nad yw e'n mynd i ddod 'nôl?' holodd Moi'n ansicr.

'Dyw hi ddim yn edrych felly,' atebodd Dyfrig, gan barhau i graffu drwy'r coed.

'Ond dwi ddim yn deall. Mae'r Almaenwyr i fod yn ffiaidd...'

'Odyn...i fod.'

Ond roedd hi'n amlwg fod eu Almaenwr nhw'n wahanol ac unwaith y sylweddolodd Moi nad oedd e'n dod yn ôl, dechreuodd sgrechian a gweiddi a chwifio'i freichiau fel creadur hurt er mwyn ceisio tynnu sylw Annie a'i ffrindiau islaw.

'Help!' bloeddiodd Moi. 'Heeeelp...'

Bloeddiodd gymaint nes bod ei wddw'n dost. Ond waeth iddo heb â ffwdanu. Roedd Annie a'r merched yn rhy bell i'w glywed.

'Dwi'n mynd lawr 'na. Dwi'n mynd i nôl Annie – nawr! Aros di fan 'na!' gorchymynnodd wrth Dyfrig, gan neidio oddi ar y wal.

Gwenodd hwnnw'n gam ar Moi. Wedi'r cwbl, doedd hi ddim yn debygol ei fod e'n mynd i allu symud i unman.

'Fydda i mor glou ag y galla i, Dyf. Addo!'

Cychwynnodd Moi redeg fel gafr ar daranau ond stopiodd Dyfrig ef.

'Paid â gweud wrthyn nhw...amdano fe.'

Stopiodd Moi yn sydyn.

'Paid â gweud dim. Achos yr eiliad y dywedi di rywbeth, gaiff e 'i hela fel anifail…'

'Mae'n rhaid i ni weud! Fe yw'r gelyn!'

'Nath e'n achub i…' meddai Dyfrig yn dawel.

'Do. Dwi'n gwbod. Ond mae e'n dal yn elyn!'

'Mae e'n haeddu cyfle i weld 'i blant 'to…'

'Gweud yw'r peth iawn i neud!'

''Y ngadael i yn y bwthyn o'dd y peth iawn iddo fe neud. Ond nath e ddim. Aeth e mas o'i ffordd i'n helpu ni. Dyw hi ond yn iawn ein bod ni'n rhoi cyfle iddo fe…'

Roedd Moi'n anesmwyth â'r syniad, yn anesmwyth iawn.

'Plîs…'

Clywodd Moi'r taerineb yn llais Dyfrig a phlethodd ei aeliau mewn cyfyng gyngor.

'Plîs, Moi,' crefodd Dyfrig eto. 'Gad i ni roi cwpwl o orie iddo fe ddianc – yna ddywedwn ni wrth rywun wedyn…'

'Dwi ddim yn siŵr…'

'Dere 'mlan! Nath e ddim mo'n hanafu ni, dofe?'

'Na…'

'Wel, 'na fe 'te…'

Ond doedd Moi'n dal ddim yn gwbl argyhoeddedig.

'Awr neu ddwy, 'na'i gyd…?'

'Dere 'mlan. Alle fe fod wedi ymosod arnot ti am 'i fwrw fe hefyd. Ond nath e ddim. Fuodd e'n ŵr bonheddig, ondofe?'

Allai Moi ddim gwadu.

'Felly beth amdani?'

Daliai Moi i syllu ar Dyfrig.

'Plîs?' meddai Dyfrig, hyd yn oed yn fwy taer.

Ochneidiodd Moi a meddalu. 'O, ocê…'

'Felly ti'n addo cadw'n dawel?'

'Addo.'

Doedd Moi'n dal ddim yn gwbl esmwyth â'r syniad. Wedi eiliad o bendroni, trodd a rhuthro i lawr y bryn tuag at Annie a Merched Byddin y Tir gan sgrechian a gweiddi.

Clywodd Annie ef cyn iddi hyd yn oed ei weld, a'r eiliad y gwelodd hi ei nai bach yn rhedeg tuag ati, gwyddai fod rhywbeth mawr iawn o'i le. Sbonciodd oddi ar ei thractor fel pluen a rhedeg i gwrdd â Moi, ei gwallt modrwyog yn chwifio fel baner felen y tu ôl iddi.

'Moi bach, beth sy'n bod?' gofynnodd, gan agor ei breichiau'n llydan.

Hyrddiodd Moi ei hun i'w mynwes ac wrth i freichiau ei fodryb lapio amdano'n dynn, ffrwydrodd llif o eiriau blith draphlith o'i enau. Deallodd Annie fod rhywbeth wedi digwydd i Dyfrig a'i fod e lan ar bwys Coed Du. Heidiodd gweddill Merched Byddin y Tir o'u cwmpas yn gylch amddiffynnol ac roedd y consýrn ar eu hwynebau'n ormod i Moi. Toddodd yn rhaeadr o ddagrau.

'Rhaid i ni fynd lan 'na, ferched!' meddai Annie. 'Glou!'

Sychodd Annie ddagrau Moi, a'i godi i'r trelar. Yr eiliad roedd gweddill y merched wedi dringo i mewn ato, trodd Annie drwyn y tractor tua Coed Du. Gyrrodd mor bell ag y gallai hi ond roedd hi'n amhosib mynd â'r tractor yr holl ffordd i fyny'r bryn gan fod y tir mor anwastad a charegog. Felly disgynnodd pawb oddi ar y trelar ryw ganllath o'r wal gerrig a thuthiodd y fintai yn eu blaenau ar droed.

Ymhen llai na phum munud, gallai Dyfrig weld criw o bennau'n ymddangos hwnt ac yma uwch y wal fwsog. Doedd e erioed wedi bod mor falch o weld wyneb cyfeillgar. Fu Annie a'r merched ddim chwinciad yn dringo dros y wal a dechrau ei helpu. Dim ond un edrychiad gymrodd Annie ar ei bigwrn cyn datgan bod Dyfrig naill ai wedi ei dorri neu wedi ei droi'n ddrwg. Roedd yntau eisoes yn gwybod hynny a phan ddechreuodd ei fodryb holi beth yn union oedd wedi digwydd, edrychodd Dyfrig ar Moi i'w rybuddio.

'Baglu dros wreiddyn coeden tu fas i'r bwthyn wnes i,' meddai, 'a glanio'n lletchwith.'

'Shwt ar wyneb y ddaear ddest ti'r holl ffordd i'r fan hyn yn y fath gyflwr?' holodd Annie.

'Moi helpodd fi...'

'Nath Moi dy hebrwng di'r holl ffordd?' gofynnodd Annie a syndod lond ei llais.

'Mae e'n gryfach nag y mae e'n edrych,' atebodd Dyfrig, gan edrych i fyw llygaid ei frawd. Holodd Annie ddim pellach gan mai'r flaenoriaeth oedd cael Dyfrig i gefn y trelar a'i gludo at y doctor mor sydyn â phosibl.

Gwingodd Dyfrig wrth i'r merched blethu eu breichiau oddi tano a'i godi'n bwyllog dros y wal. Roedd pob rhan o'i gorff yn boenus erbyn hyn ac er bod y merched yn cymryd y gofal mwyaf ohono wrth ei gludo i lawr y llwybr tua'r trelar, roedd pob symudiad yn gwneud dolur. Wrth i'r merched baratoi i'w godi i'r trelar, griddfanodd cyn llewygu yn y fan a'r lle.

'Dyfrig!' ebychodd Moi. 'Beth sy'n bod?!'

'Wedi llewygu mae e,' eglurodd Annie. 'Y boen yn ormod iddo, siŵr o fod.'

'Fydd e'n iawn?' holodd Moi yn gonsýrn i gyd.

'Fydd e fel y boi unwaith i'r doctor gael golwg arno,' addawodd Annie, gan rowlio siwmper a'i rhoi o dan ben Dyfrig er mwyn ei wneud mor gyfforddus ag y gallai hi yng nghefn y trelar. 'Chi'ch dau wedi cael dipyn o antur...'

Ond doedd gan Annie ddim syniad faint o antur yr oedden nhw wedi'i gael mewn gwirionedd ac wrth iddi droi trwyn y tractor i lawr y bryn, roedd llygaid Moi'n dal i wibio yn ôl ac ymlaen rhwng y coed i weld os oedd arlliw o'r Almaenwr yn unman. Wyddai e ddim a oedd hwnnw'n syllu arnyn nhw o guddfan yn rhywle neu a oedd wedi hen fynd...

Wrth i'r tractor ffrwtian i lawr i gyfeiriad Teras Bryn Bugail, gallai Ifor Jewel a'r criw eu gweld nhw'n agosáu. Pan sylweddolon nhw fod Dyfrig yn gorwedd yn fflat yng nghefn y trelar, bu cynnwrf mawr. Dechreuodd y bechgyn gydredeg â'r trelar gan holi cwestiynau un ar ôl y llall. Roedden nhw bron â thorri eu boliau eisiau gwybod a oedd Dyfrig wedi gweld bwgan Coed Du ac a oedd gan hynny unrhyw beth i'w wneud â'r ddamwain. Ond chawson nhw ddim ateb i'r un o'u cwestiynau, fodd bynnag, oherwydd hysiodd Annie nhw mas o'r ffordd. Curodd ar ddrws rhif 2.

'Nefoedd yr adar! Beth yw'r holl sŵn 'ma?' gofynnodd Glenys Morris wrth iddi ffit-ffatian i lawr y cyntedd yn ei slipars. 'Ma'r drws bron â chwmpo oddi ar ei ffrâm...'

Ond pan agorodd hi'r drws a gweld Annie'n sefyll ar y rhiniog, Merched Byddin y Tir y tu ôl iddi a Moi gwelw ar ei phwys, cynhyrfodd drwyddi. 'Beth sy wedi digwydd?'

'Paid â becso nawr, Glen,' atebodd Annie, 'Dyfrig sy wedi cael damwain fach...'

Gwelwodd wyneb Glenys Morris a neidiodd ei chalon i'w gwddf pan welodd hi

Doctor Lovel yn cyrraedd yn ei Austin 10 du. Roedd Annie wedi anfon un o'r merched i'w nôl a brasgamodd y doctor yn fân ac yn fuan tua chefn y trelar, ei fag meddyg lledr yn dynn dan ei fraich.

'Mas o'r ffordd! Mas o'r ffordd!' gwichiodd yn ei lais main a thasgodd pawb i wneud lle iddo tra oedd Annie'n egluro bod Dyfrig wedi llithro ac anafu ei bigwrn. Llamodd Glenys Morris i gefn y trelar at Dyfrig ac wrth iddi edrych i lawr yn bryderus ar ei mab, symudodd Dyfrig ei amrannau.

'Mae e'n dihuno!' sibrydodd Ifor Jewel.

Agorodd Dyfrig ei lygaid a cheisio adnabod y criw o wynebau oedd yn syllu i lawr arno. Pan welodd Glenys Morris yn eu canol, ceisiodd wenu.

'H…haia Mam…'

Ochneidiodd hithau mewn rhyddhad o'i weld ar ddi-hun. 'Beth wnawn ni â ti, cyw?' meddai, gan gydio'n ei law a'i gusanu'n ysgafn.

'Dwi wedi colli'n sbectol…' cyfaddefodd Dyfrig, gan ofni y câi bryd o dafod.

'O! Gawn ni sbectol arall i ti,' addawodd Glenys Morris.

'Ofynnwn ni am un yn yr ysbyty,' gwichiodd Doctor Lovel 'achos dyna le rwyt ti'n mynd, grwtyn! Dwi'n credu bod y pigwrn 'ma wedi torri. Felly fydd rhaid i ti gael archwiliad pellach cyn ei osod e mewn plastar. Fe af i â ti draw yn y car. Ond beth yn y byd oeddech chi'ch dau'n ei wneud lan yng Nghoed Du yn y lle cyntaf?'

'Ch...chwilio am fwgan...' cyfaddefodd Moi.

'Ffendioch chi un?'

'Ffendion ni ddim byd, naddo fe, Moi?' edrychodd Dyfrig i fyw llygaid ei frawd bach.

'Na,' atebodd Moi, er ei fod e'n bendant erbyn hyn ei bod hi'n hen bryd iddyn nhw ddweud wrth rywun am yr Almaenwr. Ond cyn i Moi gael cyfle i drafod gyda Dyfrig, chwipiodd Doctor Lovel ef a Glenys Morris draw i ysbyty Aberdufaes gan adael Moi gartref gydag Annie. Roedd e ar bigau'r drain...

11

Dihunodd Moi wrth i arogl cig moch yn ffrio oglais ei ffroenau. Roedd haul cynnes y gwanwyn yn llenwi ei stafell wely a phan sylweddolodd ei bod hi'n fore, llamodd o'i wely. Roedd wedi aros ac aros ac aros i Dyfrig a'i fam gyrraedd adre o'r ysbyty neithiwr fel y gallai ef a Dyfrig dorri'r newyddion am yr Almaenwr. Ond roedd hi'n amlwg ei fod wedi cwympo i gysgu berfeddion nos. Ciciodd Moi ei hunan. Doedd Dyfrig ddim wedi cysgu yn yr un gwely ag e neithiwr ac er bod ôl cwsg yn drwm yn ei lygaid a'i wallt yn sefyll ar ei ben fel draenog, rasiodd i lawr y grisiau i chwilio am ei frawd mawr.

Agorodd ddrws y gegin yn sydyn a gwelodd Dyfrig yn eistedd fel brenin ar gadair ar bwys y tân, ei bigwrn mewn plaster a dwy fagl gerllaw. Cyn i Moi gael cyfle i dorri gair, hwyliodd Glenys Morris drwodd o'r gegin gyda sleisen o gig moch a bara saim i Dyfrig. Dogni neu beidio, roedd hi'n benderfynol o'i faldodi ar ôl y ddamwain a doedd hi ddim am adael Moi allan ohoni chwaith.

'Mae 'na blated i ti hefyd...y cysgadur!' chwifiodd Glenys Morris blât arall o dan drwyn Moi. 'Yn mynd i dy ddihuno di o'n i nawr. Dwi'n ame dy fod ti'n cysgu'n well heb Dyfrig yn chwyrnu wrth dy ochr di...'

'Ges i'n rhoi yn y stafell gefn neithiwr,' eglurodd Dyfrig.

'Wel do, siŵr! Neu fydde'r Moi 'ma wedi dy styrbio di gyda'i droi a'i drosi!' tynnodd Glenys Morris goes ei mab ieuengaf cyn estyn tafell o fara menyn iddo. 'Dere. Bwyta...'

Bwyta oedd y peth olaf ar feddwl Moi. Roedd ar dân eisiau trafod yr Almaenwr ond doedd ganddo fe na Dyfrig ddim gobaith o wneud hynny tra oedd eu mam yn ffysian o'u cwmpas. Felly meddyliodd Moi am ffordd o gael gwared ohoni.

'Alla i gael disghled o de, Mam?'

Edrychodd Glenys Morris arno'n syn. Doedd Moi byth bron yn yfed te ond doedd hi ddim am wrthod dim iddo heddiw ar ôl iddo edrych ar ôl Dyfrig cystal y diwrnod cynt.

'Ar ei ffordd, cyw!' meddai, cyn hwylio 'nôl tua'r gegin. Yr eiliad y cawson nhw wared ohoni, trodd Dyfrig at Moi.

'Beth o'dd yn bod arnat ti'n cwmpo i gysgu neithiwr?' holodd yn daer. 'Ro'n i'n meddwl ein bod ni'n mynd i weud y gwir am beth ddigwyddodd yng Nghoed Du ar ôl i fi ddod gartref!

'Wel, pam na ddihunest ti fi?' atebodd Moi, yr un mor gyhuddgar.

'Glywais ti mohona i'n cnoco'r pared?'

'Na. Rhaid mod i wedi cwmpo i gysgu...'

'Twmffat!'

'Ond, do'n i ddim wedi bwriadu cysgu! Pam na ddest ti draw?'

'Achos dwi'n cael ffwdan cerdded â'r ffyn bagle 'ma! A bydd rhaid i ni weud wrth bawb am yr Almaenwr bore 'ma...'

'Na!' meddai Moi'n bendant.

Cododd aeliau Dyfrig mewn syndod. Roedd Moi wedi bod yn daer dros wneud hynny o'r dechrau

'Mae'n rhy hwyr! Os ffendith pobl mas ein bod ni wedi cadw'r gyfrinach cyhyd â hyn, fyddan nhw am ein gwaed ni...'

'Ti'n meddwl?'

'Dwi'n gwbod! Fe ddylen ni fod wedi gweud y gwir yn syth!'

'Wnest ti gytuno i gadw'n dawel...'

'Am dy fod ti wedi 'ngorfodi i!'

'Gytunest ti!'

'Ti'n gwbod yn iawn na ddaw dim daioni o gadw cyfrinach!' bytheiriodd Moi, gan fwrw'r ford nes bod y llestri brecwast yn crynu.

'Cyfrinach?' torrodd Glenys Morris ar eu traws yn dawel. Rhewodd Moi a Dyfrig pan sylweddolon nhw ei bod hi'n sefyll y tu cefn iddyn nhw, a dishgled o de chwilboeth yn ei llaw. 'Pwy sy'n cadw cyfrinach?'

'Y...neb...' meddai Moi.

'Na, neb,' ychwanegodd Dyfrig. Ond roedd hi'n amlwg fod euogrwydd yn blastar dros wynebau'r ddau a doedd eu mam ddim yn dwp. Gallai synhwyro fod rhywbeth ar droed. Rhoddodd y cwpan te i lawr.

'Pwy sy'n cadw cyfrinach?' gofynnodd eilwaith.

Edrychodd Moi a Dyfrig ar ei gilydd yn ansicr gan na wydden nhw faint o'r sgwrs roedd hi wedi ei chlywed. Distawrwydd llethol.

'Dwi'n gofyn 'to. Pwy sy'n cadw cyfrinach? Un ohonoch chi?'

'Ym...y...na,' meddai Moi ond allai e, fwy na Dyfrig, ddim edrych arni, rhag ofn iddyn nhw fradychu ei gilydd. Ond dyna'n union wnaethon nhw drwy osgoi ei llygaid.

'Y gwir, plîs?' gorchmynnodd Glenys Morris. 'Achos does 'na'r un ohonoch chi'n symud cam o'r gegin 'ma nes mod i'n cael gwbod beth yw'r gyfrinach.'

Roedd Moi a Dyfrig wedi eu cornelu. Gwyddai'r ddau y byddai eu mam fel ci ag asgwrn nes cyrraedd at wraidd y mater. Cymerodd Dyfrig anadl ddofn.

'Plîs, peidiwch â gweud wrth neb...' meddai.

'Shh!' torrodd Moi ar ei draws gan obeithio cau ceg ei frawd. Ond roedd hi'n rhy hwyr.

'Gweud beth, Dyfrig?' gofynnodd eu mam yn dawel benderfynol.

'Welson ni garcharor rhyfel lan yng Nghoed Du ddoe...'

Gwelwodd Glenys Morris. Doedd hi ddim yn siŵr a oedd hi wedi clywed yn iawn. Ond yn amlwg yr oedd hi.

'Nath e rywbeth i chi?' meddai, yn ofni trwy waed ei chalon eu bod nhw wedi cael niwed.

'Na. Dim,' atebodd Moi. 'Ond nath e helpu cario Dyfrig i gwr y goedwig...'

Cydiodd hithau yn y bwrdd i sadio ei hun. 'Cario Dyfrig? Wnest ti adael i *Almaenwr* dy gario di?' cododd ei llais mewn braw.

'Ro'n ni'n mynd i weud wrthoch chi...' meddai Moi wrth i Glenys Morris ffrwydro.

'Wel, pam na naethoch chi 'te? Ddylech bod chi wedi gweud wrtha i'n syth bín!'

'Ni'n gwbod hynny,' dywedodd Moi, gan edrych yn gyhuddgar ar Dyfrig.

'Galle'r cythrel fod wedi neud unrhyw beth i chi! Unrhyw beth!'

'Ond nath e ddim...' atebodd Dyfrig. Ond roedd hi'n rhy hwyr. Roedd dychymyg eu mam eisoes yn corddi gyda phob math o hunllefau a doedd hi ddim mewn hwyliau i wrando.

'Diawled yw'r Almaenwyr!' bytheiriodd. 'Yn enwog am gamdrin babis bach a phlant! Chi 'di clywed y storis amdanyn nhw'n curo a gwenwyno a llwgu rhai i farwolaeth! Yn saethu pobl! Sdim ots 'da nhw am neb na dim! Sdim 'da nhw ddim y fath beth â cydwybod a...'

Yna stopiodd yng nghanol brawddeg wrth i syniad ei tharo.

'Beth oedd yn bod?' gofynnodd. 'Ofn? Dyna pam ddwedoch chi ddim byd? O'dd arnoch chi ofn y bydde'r Almaenwr yn dod 'nôl i'ch cosbi tasech chi'n gweud eich bod chi wedi'i weld e? Nath e fygwth eich lladd neu rywbeth?'

Edrychodd Dyfrig a Moi arni'n syn.

'*Fe* wnath eich siarsio chi i gadw'n dawel?' holodd.

Cyn i'r bechgyn gael cyfle i ateb, tawelodd Glenys Morris. Tynnodd y bechgyn i'w breichiau a'u gwasgu'n dynn, dynn.

'O, bois bach,' meddai, ei llais yn ddagreuol. ''Y mois bach i…'

Yna gollyngodd nhw a rhuthro am y drws ffrynt.

'Mam?'

'I ble chi'n mynd?'

'Gorsaf yr Heddlu!' atebodd. Cyn i Moi na Dyfrig gael cyfle i ddweud gair, roedd Glenys Morris wedi diflannu drwy'r drws.

O fewn munudau roedd sŵn traed Sarjant Defi Hopcyns i'w clywed yn crensian ar hyd llwybr rhif 2 Teras Bryn Bugail, ac o fewn chwinciad roedd e'n sefyll yng nghanol y gegin. Roedd e dros chwe troedfedd o daldra ac yn solet fel wal frics a theimlai'r gegin yn fach iawn mwyaf sydyn wrth iddo'i llenwi'n dŵr o awdurdod. Dechreuodd daflu cwestiynau at Moi a Dyfrig, un ar ôl y llall.

Roedd e eisiau disgrifiad o'r Almaenwr. Beth oedd e'n ei wisgo? Sut lais oedd ganddo? Roedd am wybod ble'n union ddaethon nhw ar ei draws. Faint o Saesneg oedd ganddo? Oedd e wedi dweud lle roedd wedi bod? I ble roedd e'n mynd? Roedd eisiau gwybod a oedd ganddo arfau? Bwyd? Arian? Oedd e wedi sôn am y carcharorion eraill o gwbl? Roedd Sarjant Hopcyns eisiau gwybod popeth. Pob un manylyn. Holodd Moi a Dyfrig mor ddwys nes bod eu pennau'n troi. Fe atebon nhw orau gallen nhw a phan gaeodd y Sarjant ei lyfr nodiadau bach du yn glep, rhoddodd goblyn o ram-dam iddyn nhw am beidio riportio'r digwyddiad ynghynt.

'Cywilydd arnoch chi!' rhuodd. 'Ddylech chi fod wedi cysylltu â mi yr eiliad ddaethoch chi adref! Mae'r Almaenwyr yma'n beryg bywyd!'

'Ond nath e ddim o'n hanafu ni...' protestiodd Dyfrig.

'Chafodd e ddim cyfle, siŵr o fod! A fetia

i fod y pwdryn wedi bwriadu eich defnyddio chi fel gwystlon!'

'Gwystlon?' holodd Glenys Morris.

'I neud yn siŵr ei fod e'n gallu dianc yn ddiogel petai'n cael ei ddal...'

'Ond fe ddiflannodd fel cysgod yr eiliad y cyrhaeddon ni gwr y coed...' meddai Dyfrig.

'Falle'i fod e wedi cael ei styrbio? Neu falle na chafodd gyfle i ddod yn ôl i'ch mofyn chi? Dim ond cwpwl o funude arhosoch chi cyn dechrau gweiddi ar Annie Morris a'i chriw...'

'Allwch chi ddim gweld bai arnyn nhw am hynny, Sarjant Hopcyns!' Roedd eu mam fel teigres. 'Ro'n nhw wedi cael llond twll o ofn!'

'Dwi'n gwbod hynny! Ond eu dyletswydd nhw oedd cysylltu â mi'n syth, Mrs Morris! Mae 'na ddau garcharor arall o Island Farm yn dal ar ffo a chi'n gwbod cystal â minne mai cythreulied mewn croen yw'r Almaenwyr...'

Doedd Dyfrig na Moi ddim yn meddwl ei bod hi'n deg dweud hynny am eu Almaenwr nhw, ond doedden nhw ddim am feiddio dweud hynny rhag cynddeiriogi'r Sarjant a'u mam yn fwy.

'Beth fydd yn digwydd nawr?' holodd Glenys Morris yn bryderus.

'Helfa. Ac os na ffendiwn ni'r Almaenwr 'ma,' atebodd Sarjant Hopcyns, gan daflu edrychiad fel y fagddu i gyfeiriad Dyfrig a Moi, 'fydd 'na goblyn o le...'

12

Trawsnewidiwyd y Bont-ddu. Fel arfer, pentref bach tawel, cysglyd oedd e, ond nawr roedd e'n fwrlwm i gyd. Roedd Teras Bryn Bugail yn fedlam, gyda phobl yn rhuthro o'u tai bychan fel cwningod o'u gwâl, tra oedd eraill yn brasgamu'n benderfynol i fyny'r ffordd o'r dref neu'n rhuthro i lawr y ffordd gul o'r ysgol gan ymgynnull ar sgwâr y pentref, yn gyfuniad byw o gleber, ofn a chyffro. Lledaenodd y newyddion am yr Almaenwr fel tân drwy'r pentref a heidiodd y trigolion i ateb yr alwad i ymuno yn yr ymgyrch i chwilio amdano.

Roedd Sarjant Hopcyns wedi gofyn i'r Gwarchodlu Cartref a Merched Byddin y Tir i arwain y chwilio gyda'r heddlu, ac wrth iddyn nhw drafod tactegau roedd eraill yn sbecian yn syn ar yr holl ddwndwr, gan geisio dyfalu pryd oedd y tro diwethaf i'r Bont-ddu weld y fath fwstwr. Roedd trigolion y pentref wedi cael gorchymyn gan Sarjant Hopcyns i beidio ag agor y drws i unrhyw ddieithriaid ac roedd cael y gelyn yn eu hardal wedi esgor ar ofn dychrynllyd.

Moi oedd y cyntaf i weld Annie'n gwthio'i ffordd drwy'r dorf tuag atyn nhw. Yr eiliad y clywodd hi beth oedd wedi digwydd i'r bechgyn, gollyngodd bopeth a rhuthro draw i weld a oedden nhw'n iawn. Er bod y ddau'n mynnu nad oedden nhw damaid gwaeth ar ôl y profiad, roedd Glenys Morris wedi cael coblyn o ofn wrth feddwl beth *allai* fod wedi digwydd.

'Fyswn i ddim wedi cysgu winc neithiwr petawn i'n gwbod beth o'dd wedi digwydd ddiwedd prynhawn ddoe!' llefodd.

'Na finne chwaith,' ategodd Annie. 'Pam na ddwedoch chi rwbeth, bois?'

'Ofn!' atebodd eu mam ar eu rhan ac edrychodd Moi a Dyfrig ar ei gilydd yn euog gan wybod na allen nhw fentro dweud y gwir nawr fod eu mam yn argyhoeddedig mai dyma pam roedden nhw wedi cadw'n dawel. Byddai'n ffrwydro petai hi'n gwybod y gwir.

'Ar adege fel hyn dwi'n gweld ishe Gwil fwyaf...' sibrydodd Glenys Morris. 'Un peth yw ei gael e'n ymladd ar y Cyfandir, ond mae cael y ddau 'ma ar drugaredd Almaenwr dafliad carreg o'r pentre...'

Aeth y cwbl yn ormod iddi ac wrth i Annie

lapio'i breichiau o'i chwmpas a'i harwain i'r tŷ am ddishgled o de i sadio'i nerfau, tuthiodd Ifor Jewel, Trefor Tal a Carwyn Cae Pella tuag at y bechgyn.

'Hei! Ni newydd glywed!'

'Am yr Almaenwr!'

'Siŵr eich bod chi wedi cael llond twll o ofn!'

Siaradai'r bechgyn blith draphlith, yn gyffro i gyd.

'Chi ddim yn mynd i gredu hyn,' difrifolodd Carwyn Cae Pella, 'ond ma rhywun wedi dwgyd wyau o'n tŷ llaeth ni! Pan aeth Dad 'na ben bore 'ma, ro'dd pump wy ar goll. A ma rhywun wedi helpu'i hunan i'r piser llaeth 'fyd...'

'Wel, mae'n amlwg pwy nath, on'd dyw e?' lledodd llygaid Ifor Jewel yn ddramatig. 'Yr Almaenwr! Lladron yw'r Almaenwyr i gyd medde Tad-cu...'

'Allwch chi ddim bod yn siŵr taw fe nath,' meddai Dyfrig yn herciog.

'Wrth gwrs taw fe nath! Ni 'rioed wedi cael lladron yn Cae Pella o'r blân, a'r eiliad mae'r Almaenwr 'na'n cyrraedd, mae pethe'n diflannu! Rhaid 'i fod ar lwgu! Ma' Dad wedi'n siarsio i fynd yn syth at Sarjant Hopcyns!' mynnodd Carwyn, gan garlamu draw at y plismon yr eiliad y gwelodd ef.

Pan glywodd Sarjant Hopcyns am y lladrad, roedd e'n rhannu amheuon Carwyn. Er bod Dyfrig a Moi wedi dweud wrtho fod gan yr Almaenwr ambell dun bwyd yn ei fag canfas cefn, credai Sarjant Hopcyns y byddai ar ei gythlwng erbyn hyn, felly cyhoeddodd mai fferm Cae Pella fyddai man cychwyn yr helfa.

'Ddechreuwn ni chwilio ar fferm Carwyn!' anerchodd yr oedolion yn y dorf. 'Wedyn fe rannwn ni i chwilio'r tir o gwmpas y fferm. Dwi'n moyn i chi chwilio pob beudy, pob sgubor, pob adfail! Pob cae a choedlan! Pob twll a chornel! Mae'r Almaenwr 'na'n cwato yn rhywle! A ni'n mynd i ddod o hyd iddo fe, doed a ddelo!'

Chwyddodd cymeradwyaeth frwd o du'r helwyr. Chwifiwyd picweirch, bwyeill a ffyn yn yr awyr – arfau i ymosod ar yr Almaenwr! Doedd Dyfrig a Moi ddim yn meddwl fod gan yr Almaenwr arfau ond doedd dim taten o ots am hynny gan neb erbyn hyn. Ysai'r dyrfa i ddechrau hela ac wrth iddyn nhw gychwyn brasgamu i gyfeiriad Cae Pella, cododd llais Ifor Jewel uwch yr holl sŵn.

'Gawn ni ddod 'da chi, Sarjant Hopcyns? Gawn ni helpu i chwilio amdano fe?'

Trodd llygaid y dyrfa i edrych ar Ifor Jewel, Trefor Tal a Carwyn Cae Pella.

'Na chewch!' bytheiriodd Miss Cook, y brifathrawes, o ganol y dorf. 'Dyw plant ddim yn cael dod, siŵr iawn! Adref! Nawr!'

'Plîs?'

'Calliwch! Mae'n llawer rhy beryglus!' wfftiodd Miss Cook eto. Ond roedd y plismon yn dal i ystyried y cais.

'Wel, allen ni neud â help pob person abl, a bod yn onest...' cyfaddefodd Sarjant Hopcyns.

Goleuodd wynebau'r bechgyn.

'Ond, plant 'yn nhw, Sarjant Hopcyns!' arswydodd Miss Cook. 'Plant ysgol!'

'Pe baen nhw'n gweld yr Almaenwr, fyddai dim ishe iddyn nhw fynd yn agos ato!' eglurodd Sarjant Hopcyns. 'Dim ond galw ar oedolyn i'w helpu. Chi *yn* deall hynny, bois? Dwi'n moyn i chi gymryd gofal! Dim dramatics, reit! Dim trio bod yn ddewr...'

'Wrth gwrs!' llefodd y bechgyn, ac er

gwaethaf consýrn ac anniddigrwydd y mamau ar y sgwâr, fe garlamon nhw i flaen y dorf.

'Dere, Moi!' meddai Ifor.

Ond doedd Moi ddim yn awyddus o gwbl i ymuno yn yr helfa. Roedd e'n becso y byddai'r gwir yn dod i'r golwg petai e'n dod wyneb yn wyneb â'r Almaenwr eto.

'Fyddai hi'n well i mi aros gartref i edrych ar ôl Dyfrig.' Ceisiodd wneud esgusodion.

'All dy fam neud hynny!'

'Gall!' ychwanegodd Trefor Tal.

'Dere!' mynnodd Carwyn Cae Pella. 'Ma Sarjant Hopcyns yn moyn i bob person abl helpu! Ac mae 'da ti fantais! Fyddi di'n gallu nabod yr Almaenwr o bell!'

Roedd Moi yn cloffi.

'Beth sy'n bod?' gofynnodd Ifor. 'Oes ofn arnat ti?'

'Nag oes!'

'Ti 'rioed yn fabi?'

'Na!'

'Wel, dere 'mlan, 'te!' Cydiodd Ifor Jewel yn llawes Moi a'i lusgo i gyfeiriad Cae Pella gan adael Dyfrig ar ei faglau, yn edrych yn bryderus ar ei ôl.

Astudiodd Sarjant Hopcyns yr olion traed maint deuddeg oedd yn y mwd y tu fas i dŷ llaeth Cae Pella. Nid olion traed tad Carwyn oedden nhw. Maint naw oedd e. Ac os mai olion traed yr Almaenwr oedd y rhain, roedd wedi cerdded hyd ochr y tŷ llaeth cyn diflannu drwy'r clawdd yn y cefn. Cae gwair oedd yr ochr arall i'r clawdd a doedd dim ôl traed o gwbl i'w weld yn hwnnw. Rhegodd Sarjant Hopcyns. Doedd ganddo ddim syniad i ba gyfeiriad yr aeth yr Almaenwr – os mai ei olion traed ef oedd yn y mwd – felly rhannodd y dyrfa yn bedair mintai. Gorchmynnodd i un fintai fynd i gyfeiriad y gogledd, un i'r de, un i'r dwyrain a'r llall i'r gorllewin. Roedd eisiau i bob mintai rannu yn llinell o ugain o bobl a cherdded gyda'i gilydd yn bwyllog drwy'r caeau a thros y llethrau a'r bryniau, gan gadw llygaid barcud am unrhyw arwyddion fyddai'n eu harwain at yr Almaenwr.

Gwirfoddolodd Annie i arwain mintai'r gorllewin ac yn honno y rhoddwyd Moi a'r bechgyn. Fe gychwynnon nhw lan o'r sgwâr, heibio i gapel Carmel a'r mans, cyn troi am y llwybr oedd yn arwain drwy Gors Ddu.

Wedi milltir o gerdded, roedd Ifor, Trefor a Carwyn wedi torri ffyn o goed cyll i brocio'r cloddiau a'r perthi wrth iddyn nhw fynd heibio – rhag ofn bod yr Almaenwr yn cuddio yno. Roedden nhw ar dân eisiau bod y cyntaf i ddod o hyd iddo.

'Pan gaf i afel ynddo fe, fwra i e fel hyn!' meddai Ifor, gan chwipio boncyff coeden yn wyllt ac esgus mai'r Almaenwr oedd e. 'Sdim ofn neb arna i!'

'Na fi!' broliodd Trefor.

'Na fi!' ychwanegodd Carwyn. 'Pam na naethoch chi ymosod arno fe yn y goedwig, Moi?'

'Wel…ym…' Wyddai Moi ddim beth i'w ddweud.

'Ro'dd Dyfrig wedi cael ei anafu, on'd o'dd e?' meddai Trefor.

'Ond ro'dd Moi'n iawn!' heriodd Ifor. 'Felly pam na wnest ti ddysgu gwers iddo fe?'

'Aros 'y nghyfle o'n i,' atebodd Moi'n gelwyddog.

'Wel, gei di roi'r glatsien gynta iddo pan ffendiwn i e…' addawodd Ifor. Gwnaeth Moi ei orau i osgoi ei lygaid. Doedd ganddo ddim bwriad o fwrw'r Almaenwr. Roedd e'n gweddïo na fydden nhw'n dod o hyd iddo. Suddodd ei galon pan ddaethon nhw at hen dwlc mochyn ar gyrion fferm Gelli Gras.

'Hei, falle mai yn hwnna ma'r bwbach yn cwato!' sibrydodd Trefor Tal yn llawn cyffro.

Tynhaodd y bechgyn eu gafael yn eu ffyn cyll wrth i Annie amneidio ar y llinell i amgylchynu'r twlc yn dawel. Caeodd y llinell o amgylch yr adeilad gan bwyll bach. Fyddai gan yr Almaenwr ddim gobaith dianc petai i mewn yno.

Roedd calon Moi'n curo'n gyflym wrth iddyn nhw nesáu. Daliodd ei wynt wrth i Annie wthio'i phen modrwyog heibio drws y twlc.

'Gwag!' bloeddiodd Annie wedi ennyd.

Griddfanodd pawb yn y llinell mewn siom ond llaciodd stumog Moi wrth i Annie orchmyn i'r fintai gerdded yn ei blaen.

Buon nhw'n cerdded am oriau. Oriau meithion. Buon nhw'n chwilio ac yn chwilio ac yn chwilio am yr Almaenwr. Yn y dyffrynnoedd a'r pantiau. Ar y llethrau a'r bryniau. Fe gribon nhw bob modfedd o'r Bont-ddu a thu hwnt, ac erbyn hyn roedd traed pawb yn llosgi a'u coesau'n teimlo'n dwym. Roedd hi wedi dechrau bwrw glaw a'r tamprwydd wedi dechrau gwthio'i fysedd oer yn ddigywilydd i fêr esgyrn yr helwyr. Dechreuodd caddug ysgafn droelli o'u cwmpas gan ei gwneud hi'n fwy anodd gweld. Roedd pawb yn dechrau digalonni ac roedd Moi yn ysu am i bawb fynd adref. Yna, dyma Ifor yn cyffroi.

'Edrychwch, bois!' sibrydodd. Dilynodd y tri arall ei lygaid at lwyn crin oedd ar bwys y giât fochyn roedden nhw'n anelu ati. Gwthiai dwy esgid mas ohoni. 'Yr Almaenwr! A fi welodd e gyntaf!'

Anghofiodd Ifor bopeth am weiddi ar oedolyn cyfrifol i'w helpu. Yn hytrach, torrodd allan o'r llinell a rhedeg at yr esgidiau. 'Dere mas, y bwbach!' Rhoddodd broc giaidd i'r llwyn gyda'i ffon.

Daeth sgrech!

Cododd drychiolaeth walltiog o grombil y llwyn – breichiau'n chwifio a choesau'n chwyrlïo!

'Heeelp!' sgrechiodd Ifor.

'Heeeeeelp!' sgrechiodd y ddrychiolaeth, gan gipio ffon Ifor a rhoi proc ciaidd yn ôl iddo nes y plygodd yn ei hanner.

Caeodd y llinell yn gwlwm tyn! Tasgai'r cyffro drwy'r dorf! Credai pawb eu bod nhw wedi dal yr Almaenwr – o'r diwedd! Ond yna daeth llais clir fel cloch o ddyfnderoedd y gwallt.

'Beth sy'n bod arnat ti'r lob? Fedar dyn ddim cael llonydd i gysgu'r dyddia 'ma?'

Nid yr Almaenwr oedd e.

Trempyn.

Un blin.

'Ro'n i'n...ym...ro'n i'n meddwl mai Almaenwr oeddech chi...' meddai Ifor yn ofnus.

'Almaenwr?!' poerodd y trempyn. 'O Gaernarfon dwi'n dŵad, y ffwlbart!'

Yna rhoddodd gic i ben-ôl Ifor nes roedd hwnnw'n wastad ar ei hyd ar y llawr a phawb yn gwneud sbort am ei ben.

13

Rhoddwyd stop ar yr helfa wedi'r helynt gyda'r trempyn. Gwnaeth y gwyll a'r glaw hi'n amhosibl gweld dim felly penderfynodd Sarjant Hopcyns mai'r peth gorau i'w wneud oedd ailymgynnull ar sgŵar Bont-ddu ben bore.

'Wyt ti'n mynd i ymuno yn yr helfa eto bore 'ma?' sibrydodd Dyfrig, wrth iddo fe a Moi wisgo amdanynt o flaen tân y gegin cyn brecwast.

''Sdim dewis 'da fi. Fydd pobl yn meddwl 'mod i'n od os cadwa i bant...'

'Gyda bach o lwc, fydd yr Almaenwr wedi hen ddiflannu...'

'Beth os yw e wedi mynd ar goll a ffaelu dod o hyd i'r ffordd mas o'r goedwig, Dyfrig?'

Atebodd Dyfrig ddim.

'Neu beth os yw e'n cuddio am 'i fod e'n gwbod ein bod ni ar ei ôl e?'

'Mae'n bosib,' crychodd Dyfrig ei dalcen. 'Ond gad i ni obeithio 'i fod e wedi mynd...'

'Fydd ein bywyde ni'n uffern os daw pobl y pentre 'ma i ddarganfod beth naethon ni...'

Tawelodd Moi wrth iddo glywed ei fam yn dod i lawr y grisiau.

'Bore da, bois,' meddai, wrth i rywun guro'n galed ar y drws ffrynt. Twtiodd Glenys Morris ei gwallt a phrysuro i'w ateb. Safai gŵr boliog, byr yn gwisgo het a chot dri chwarter lwyd ar y rhiniog.

'Shwmai?' meddai gan godi ei het i'w chyfarch. 'Llŷr Elystan, *Swansea Gazette*. Dwi'n deall fod y cryts ddaeth ar draws y carcharor rhyfel yng Nghoed Du yn byw fan hyn. Hoffen i eu cyfweld nhw ar gyfer y papur, os yn bosib?'

Rhewodd Moi a Dyfrig. Ond cyn iddyn nhw allu dweud dim, arweiniodd Glenys Morris y newyddiadurwr i mewn i'r gegin. Roedd e'n drewi o fwg sigaréts.

'Dyma Dyfrig,' meddai. 'A Moi.'

'Aaaa,' meddai Llŷr Elystan. 'Chi yw'r cryts dewr ddaeth wyneb yn wyneb â'r carcharor, ife?'

Llygadodd Dyfrig a Moi ei gilydd.

'Gwedwch helô,' anogodd eu mam nhw'n frwdfrydig.

'Helô,' meddai'r ddau'n swil.

'Wyddoch chi 'u bod nhw wedi dal un o'r

tri carcharor sy'n dal ar ffo mewn warws yn nocie Aberdaugleddau neithiwr,' eglurodd Llŷr Elystan yn ddramatig. 'Trio dala cwch i Iwerddon oedd e…'

'Pam Iwerddon?' gofynnodd Glenys Morris.

'D'yn nhw ddim yn cymryd rhan yn y rhyfel, odyn nhw? Wedyn fydde fe ddim yn cael 'i gwrso yno. Mae hi'n bosib taw anelu am y fan honno mae'r carcharor welsoch chi hefyd. Chi'n gwbod taw dim ond fe ac un arall sy'n dal â'u traed yn rhydd nawr? Ac mae diddordeb mawr ynddyn nhw. Dyna pam yr hoffen i gael hanes beth ddigwyddoddd yn y bwthyn – os yw hynny'n iawn Mrs…'

'Wrth gwrs 'i fod e'n iawn!' atebodd Glenys Morris. 'Gafodd y bois lond twll o ofn…'

'Dwi'm yn synnu,' atebodd y newyddiadurwr gan dynnu cadair i eistedd cyn hyd yn oed gael gwahoddiad i wneud hynny. Taniodd sigarét, gwlychu ei ysgrifbin â phoer a pharatoi i lenwi ei lyfr nodiadau. Gofynnodd yr un math o gwestiynau â Sarjant Hopcyns, ond cyn i Dyfrig a Moi gael cyfle i ateb, dechreuodd eu mam barablu bymtheg yn y dwsin ar eu rhan. Fe eglurodd hi'n frwdfrydig sut roedd yr Almaenwr yn edrych, beth roedd e'n ei wisgo a sut y swniai. Eglurodd faint o Saesneg oedd ganddo ac nad oedd wedi dweud ble roedd e wedi bod nag i ble roedd e'n mynd. Eglurodd nad oedd Dyfrig a Moi wedi gweld unrhyw arf ganddo, na wydden nhw faint o fwyd oedd yn ei fag canfas ac nad oedd e wedi sôn am y carcharorion eraill, chwaith. Y cwbl oedd rhaid i Dyfrig a Moi wneud oedd cytuno a rhoi ambelli nòd. Roedd hynny'n eu siwtio i'r dim. Ond yna, trodd Llŷr Elystan i'w wynebu'n uniongyrchol.

'Gwedwch nawr, bois, oedd e'n gas tuag atoch chi?' holodd gan eu hannog i gadarnhau hynny. 'Treisgar?'

'Wrth gwrs 'i fod e!' mynnodd Glenys Morris.

'Falle'r hoffech chi roi cyfle i'r bechgyn ateb *un* cwestiwn 'u hunen Mrs...?'

'Morris. O ie, iawn, siŵr...' meddai eu mam a chymryd cam yn ôl. 'Dwi wedi bod yn siarad gormod fel arfer, odw i?'

Gwenodd y newyddiadurwr, gan gadarnhau hynny, cyn troi'n ôl at y bechgyn a cheisio rhoi geiriau'n eu ceg. 'Wel? Roedd e'n gas, on'd oedd e?'

Doedd dim yn bellach o'r gwir ond ofnai Dyfrig a Moi ganmol yr Almaenwr rhag ofn iddyn nhw gael eu cyhuddo o gydymdeimlo ag ef a chael eu condemnio oherwydd hynny.

'Wnaeth e mo'n hanafu ni,' meddai Dyfrig yn dawel. 'Dim ond ein harwain ni i gwr y goedwig…'

'Dyw hynny ddim yn golygu na fydde fe *wedi'ch* anafu chi unwaith roeddech chi mas o'r goedwig!' ebychodd Glenys Morris. 'Ro'dd Sarjant Hopcyns yn meddwl 'i fod e wedi bwriadu defnyddio'r ddau fel gwystlon – i achub ei groen ei hun…'

'Synnen i damed,' meddai Llŷr Elystan, gan rhoi llyfiad clou i'w ysgrifbin. 'Mae'n nhw'n genedl gyfrwys, yr Almaenwyr. Wyddoch chi fod y carcharorion wedi bod yn twnelu'u ffordd mas o Island Farm ers wythnose…'

'Shwt na chawson nhw'u dala 'te?' gofynnodd Glenys Morris yn syn.

'Dim syniad. Ar ddamwain y digwyddodd hynny. Gwmpodd un o filwyr y gwersyll ar 'i ben i'r twnnel wrth gerdded o gwmpas y ffens allanol ganol nos. Ond weda i un peth wrthoch chi, Mrs, fyddan nhw ddim yn hir cyn dala'r ddau sy' ar ffo, medde Sarjant Hopcyns...'

'Chi wedi siarad ag e, odych chi?' holodd Glenys Morris.

'Do. *Fe* yrrodd fi 'ma. Chi'n gwbod fod pedwar ohonyn nhw wedi cael 'u dala ar ôl iddyn nhw ddringo mas o'r twnnel a cheisio dwyn car y doctor lleol?'

'Ro'dd wyneb 'da nhw'n neud hynny.' Roedd ei llygaid yn fawr a syn.

'Ro'dd criw ohonyn nhw'n ddigon hy i geisio dala bws o Ben-y-bont i Gaerdydd,' aeth Llŷr Elystan yn ei flaen. 'Esgus 'u bod nhw'n lowyr. Ond gawlon nhw bethe...'

'Shwt?'

'Drwy gadw'n dawel, Mrs. Ro'dd gyrrwr y bws yn amheus – achos chi'n gwbod shwt mae glowyr gan amlaf – yn siarad fel pwll y môr. Sylweddolodd nad o'dd ganddyn nhw air o Gymraeg – na Saesneg – a gysylltodd e â'r Glas...'

'Nefoedd yr adar, pwy feddylie?' twt-twtiodd Glenys Morris. 'Dim ond gobeitho y cawn nhw afel ar yr un oedd yn cwato 'Nghoed Du...'

'Wrth gwrs y cawn nhw,' atebodd y newydd-iadurwr yn hyderus. 'Ac fe lusgan nhw fe 'nôl i Island Farm yn sgrechian ac yn gweiddi...'

'Dyw e'n ddim llai na'i haeddiant,' bytheiriodd Glenys Morris. 'Dwi'n chwys oer wrth feddwl beth alle fod wedi digwydd i'r bois ma...'

'Gaf i eich dyfynnu chi yn y papur, Mrs?' gofynnodd Llŷr Elystan.

Daeth gwên fach bles i wefusau'r fam. 'W! Dwi eriod wedi bod yn y *Gazette* o'r blaen,' meddai, gan esmwytho'i gwallt fel petai hi'n swil, mwyaf sydyn. Doedd Dyfrig a Moi ddim yn rhannu ei brwdfrydedd ac roedden nhw'n falch pan gododd Llŷr Elystan ei bac ac anelu am y drws.

'Fyddwn ni ar y dudalen flaen, Mr Elystan?' holodd eu mam yn obeithiol.

'Gawn ni weld...' meddai yntau wrth iddi ei hebrwng at y drws a ffarwelio.

'Hei, glywsoch chi hynna, bois?!' gofynnodd wrth ddychwelyd i'r gegin. Roedd Dyfrig a Moi wedi clywed a dyna'r peth olaf un yr oedden nhw ei eisiau.

*　　　*　　　*

Er ei bod hi'n gynnar, roedd Teras Bryn Bugail yn fwrlwm. Roedd cyffro a chynnwrf y diwrnod cynt yn ailgydio ac roedd y pentrefwyr oedd yn rhuthro tua'r sgwâr yn amlwg wedi cael ailwynt ac yn diolch fod y glaw wedi peidio a'r haul fry yn y nen. Ailymddangosodd y picweirch, y bwyeill a'r ffyn ac roedd Sarjant Hopcyns yng nghanol y dwndwr ag arweinwyr yr helfa yn edrych yn ddifrifol wrth astudio map. Ceisio penderfynu beth fyddai'r ffordd orau i ledu'r rhwyd i ddal yr Almaenwr yr oedden nhw. Gwyliodd Dyfrig a Moi Llŷr Elystan yn gwau i mewn ac allan rhwng yr helwyr, ei lyfr nodiadau yn ei law. Ac wrth i'w mam ddweud hanes y cyfweliad wrth rai o'r cymdogion, clywsant sŵn traed yn carlamu i lawr y ffordd. Trodd Dyfrig a Moi gyda'i gilydd a gweld Ifor, Trefor a Carwyn yn agosáu, sŵn eu hesgidiau'n gwibio dros y tarmac a'u llygaid yn fflachio'n beryglus. Roedd hi'n amlwg fod rhywbeth o'i le. Rhywbeth mawr.

'Beth sy wedi digwydd, bois?' holodd Dyfrig wrth i'r bechgyn ddod i stop o flaen rhif 2 Teras Bryn Bugail.

'Mae mam Ifor wedi cael llythyr yn gweud fod 'i dad wedi cael 'i anafu,' eglurodd Trefor yn dawel.

Syllodd Dyfrig a Moi yn geg agored.

'Ody … ody e wedi cael 'i anafu'n ddrwg?' holodd Dyfrig gan ofni'r ateb drwy waed ei galon.

'Mae 'i goes dde fe'n rhacs,' atebodd Ifor. 'Gafodd e 'i ddal mewn ffrwydrad ar lori – jest y tu fas i Berlin …'

Wyddai Dyfrig a Moi ddim beth i'w ddweud.

'Ym … allan nhw … allan nhw 'i thrin hi?'

Cododd Ifor ei ysgwyddau. 'Dim syniad. Mae e ar 'i ffordd 'nôl i ysbyty yn ne Lloegr yn rhywle …'

'O leia mae e'n cael dod adref,' meddai Moi, er nad hynny oedd y peth gorau i'w ddweud. 'Mae hynny'n gysur …'

'Beth am 'i goes e?' chwyrnodd Ifor. 'Beth os wnaiff hi ddim gwella? Beth os bydd e'n gripil? Mewn cader olwyn am byth?'

'Treia beidio mynd o flaen gofid …'

'Mae'n rhwydd i ti weud hynna, Moi! Dim dy dad di sy wedi'i anafu! A dwi'n mynd i dagu'r Almaenwr 'na pan ga i afel ynddo fe…' Roedd gwawr wallgof yn llygaid Ifor erbyn hyn.

'Dim fe sy wedi anafu dy dad, cofia,' mentrodd Dyfrig.

'Ei fyddin e! Ei bobl e!'

'Dyw hynny ddim cweit yr un peth…'

'Mae e'n union yr un peth! A ti'n gwbod beth ma nhw'n weud! Llygad am lygad! Dant am ddant! Ac mae e'n wir hefyd! Felly dewch, bois…'

Roedd Sarjant Hopcyns yn arwain yr helwyr o'r sgwâr a Llŷr Elystan yn tynnu llun ar ôl llun ohonyn nhw'n mynd heibio. Brasgamodd Ifor i'r blaen gan lusgo Trefor, Carwyn a Moi i'w ganlyn. 'Dwi ishe gwaed!' poerodd.

14

Credai Moi fod mwy o bentrefwyr wedi ymuno yn yr helfa na'r diwrnod cynt. Roedd deuddeg heliwr i'r dde ohono yn y llinell – pob un wyth cam ar wahân – ac roedd deuddeg i'r chwith. Roedd pob un a'i ben i lawr yn astudio'r ddaear ac yn canolbwyntio ar ddarganfod arwyddion – ôl troed, pwt o ddefnydd, darn o edafedd – unrhyw beth fyddai'n arwain at ddal yr Almaenwr. Bwriwyd rhwyd yr helfa ymhellach erbyn hyn a pharhâi Llŷr Elystan i wau i mewn ac allan rhwng yr helwyr yn tynnu lluniau wrth i Annie arwain ei chriw hi i gyfeiriad y gorllewin ac Aber-ddu Uchaf. Roedden nhw eisioes wedi archwilio degau o gaeau, ffosydd a ffriddoedd a'r bwriad oedd archwilio mwy eto. Er na phrociai Moi'r perthi a'r cloddiau yr un mor frwdfrydig â gweddill yr helwyr, allai e ddim peidio teimlo dros Ifor.

'Os collith Dad ei jobyn wedi'r rhyfel, sdim syniad gan Mam beth wnawn ni...'

'Ma doctoriaid yn gallu neud gwyrthie'r dyddie 'ma,' ceisiodd Trefor ei gysuro.

'All e ddim cario 'mlan fel garddwr os bydd e'n ffaelu cerdded...'

'Fydd dy fam yn dal i weini yn y Plas...'

'Ond rhaid iddi fwydo saith ohonon ni, Trefor! Ti'n gwbod faint ma hynny'n gostio?!'

Wyddai Trefor ddim beth i'w ddweud a bu distawrwydd wrth i'r llinell esgyn yn araf a thrylwyr ar hyd Ffridd Gandryll. Roedd y ffridd yn serth a'r caeau'n ymestyn yn glytwaith o felyn a gwyrdd islaw a choed, rhedyn a pherthi'n britho bob man. Daeth hen gwt carreg i'r golwg yr ochr bellaf i'r Ffridd a daliodd Moi ei wynt wrth i Annie bwyntio ato. Ffurfiodd y llinell o'i amgylch yn dawel a phwrpasol. Yna camodd Annie ymlaen a tharo'i phen heibio'r drws.

'Neb yma!' cyhoeddodd.

Sgubodd siom arall drwy'r llinell cyn i Annie ddweud wrthyn nhw am anelu at y stribed o dai oedd yn swatio islaw yng nghesail y ffridd. Rhes o bedwar tŷ wedi'u gwyngalchu, tua thair milltir o Bont-ddu, oedd Tai Ffridd. Roedd gerddi hirsgwar prysur o flaen pob un a thai bach, cytiau glo a siediau yn glwstwr yn y cefn. Yma roedd chwaer hynaf Trefor Tal yn byw. Gwelodd

Eleri'r helwyr yn dod i lawr o'r ffridd a brasgamodd mas o rif 3 i'w cyfarch â babi ag uwd yn ei wallt yn sgrechian ar ei chlun.

'Annie!' bloeddiodd. 'Ma rhywun wedi bod yn dwgyd!'

'Lladrad?' cyflymodd Annie a'r gweddill tuag ati fel ton.

'Dwy dorth! Ro'n i wedi pobi heddi, peth cynta. Roies i nhw mas ar y sil ffenest i oeri ond pan es i chwilio amdanyn nhw gynne, ro'n nhw wedi mynd!'

'Yr Almaenwr!' melltithiodd Ifor drwy'i ddannedd a chytunai mwyafrif yr helwyr ag ef.

'Falle mai'r trempyn nath?' awgrymodd Moi. 'Welson ni un ddoe...'

'Til Tramp?' torrodd Eleri ar ei draws. 'Fyddai Til ddim yn dwyn!'

'Shwt ti'n gwbod?' holodd Annie.

'Achos mae 'na wastad groeso i Til yn Tai Ffridd. Mae e wastad yn cael bwyd gyda ni pan fydd e'n mynd heibio. Fydd e'n cysgu yn y sied gefen weithie – os bydd hi'n rhewi. A ta beth, mae Ifan yn meddwl 'i fod e wedi gweld bachan penfelyn tal yn sleifio o 'ma,' eglurodd Eleri, gan bwyntio at hen ŵr â gwallt fel cwmwl o wadin yn eistedd yn ffenest llofft rhif 4. Roedd yr hen ŵr yn gaeth i'w wely a syllu drwy'r ffenest oedd uchafbwynt ei ddiwrnod. 'Ro'dd ganddo fag ar 'i gefen a mantell ddu at 'i draed...'

'Mae'n swnio'n union fel dy ddisgrifiad di o'r Almaenwr, Moi!' cynhyrfodd Annie wrth i'r helwyr longyfarch eu hunain am fod ar y trywydd iawn. Pwyntiodd Ifan tua'r goedwig yn y pant islaw a gwenu'n ddiddannedd.

'Ffordd acw aeth e,' eglurodd Eleri a diolchodd Annie iddi cyn anelu yn llawn gobaith am y llwybr defaid a arweiniai i'r goedwig. Roedd yr helwyr wrth ei chwt ac fe ffurfion nhw linell dynn yr eiliad y cyrhaeddon nhw'r coed. Coedwig fechan, yn drwch o goed castan a pherthi rhododendron oedd hi. Roedd blodau gwyllt yn sbecian yn swil drwy'r gwair dan droed ac unwaith eto, dechreuodd yr helwyr gribo'r tir gam wrth gam gan awchu am gliw. Aeth pum, deg, ugain munud heibio. Yna'n sydyn, bloedd.

'Annie! Fan hyn!' Trodd Moi i'r chwith a gweld Carwyn Cae Pella yn ei gwrcwd yn astudio darn du o ddaear yng nghysgod carreg fawr lefn. 'Mae rhywun wedi neud tân,' meddai.

Brasgamodd Annie tuag ato cyn plygu ar ei chwrcwd a byseddu'r lludw, wrth i weddill y criw barablu'n eiddgar o'i chwmpas. 'Mae'r lludw'n dala'n dwym,' meddai Annie'n feddylgar, 'felly sdim llawer ers i bwy bynnag oedd yma adael...'

'Pwy bynnag o'dd 'ma fuodd yn tŷ ni,' meddai Carwyn, gan bwyntio at yr ôl troed yn y lludw. 'Ma siâp yr esgid yr un fath...'

'Yr Almaenwr!' udodd yr helwyr, wrth i ambell un guro cefn Carwyn am fod mor graff. Cytunai Annie a throellodd gudyn o'i gwallt modrwyog o gwmpas ei bys a chnoi ei gwefus wrth iddi ystyried.

'Dwi'n credu ein bod ni'n iawn i anelu am Aber-ddu Uchaf,' meddai. 'A phetawn i'n ei le fe, fydden i'n neud fy ffordd i gyfeiriad bythynnod y pysgotwyr yn y fan honno. Ma 'na gychod rhwyfo yno a phetai e'n cael gafael ar un o'r rheini...'

'Fydde fe mas o'r wlad whap...' ysgyrnygodd Ifor wrth iddo sylweddoli y gallen nhw fod yn rhy hwyr.

'Paid â becso nawr,' ceisiodd Annie ei gysuro a'i atgoffa fod y wlad o gwmpas yn ddieithr i'r Almaenwr. 'Falle nad yw e'n gwbod fod afon yno. Falle nag aiff yr un o'i draed e'n agos…'

'Ond os nad ewch chi 'na i whilo, fyddwch chi'n difaru, Miss,' gwthiodd Llŷr Elystan ei fys i'r brywes gan gynhyrfu'r dyfroedd ymhellach.

'Yn gwmws!' meddai Annie. 'Wedyn bant â ni i Aber-ddu Uchaf, nawr!'

Cytunai'r helwyr a bron na ellid teimlo'r hyder yn yr aer wrth iddyn nhw ei dilyn yn llinell ddisgybledig, pob clust a llygad yn effro. Gallai Moi deimlo'r cyffro'n llifo drwy'r picweirch, y bwyeill a'r ffyn a gwyddai na fyddai gan yr Almaenwr obaith pe bai e'n cael ei ddal. Nid Ifor yn unig oedd eisiau gwaed.

Ugain munud gymeron nhw i gerdded i Aber-ddu Uchaf. Wedi cyrraedd, heidiodd pawb i lawr tua'r bythynnod fel pla o forgrug. Tai unllawr bychan a thlawd yr olwg oedd y bythynnod, eu toeau'n grwm a cham. Doedd dim gerddi o'u blaenau, dim ond grisiau cerrig yn arwain i lawr o'r drysau ffrynt i'r graean tywodlyd garw ar lan yr afon. Siglai cychod bach hirgrwn i fyny ac i lawr ar y dŵr ac roedd pentyrrau o rwydi a chewyll pysgod wedi eu gosod yn ddestlus ar hyd y lan.

Roedd llif gref yn yr afon wedi glaw'r noson cynt ac o ganlyniad gallai cwch gyrraedd ceg afon Ddu a rhyddid y môr mawr mewn dim o dro.

'Esgusodwch fi, gyfeillion,' meddai Annie, gan gymryd yr awenau'n awdurdodol a chyfarch perchnogion y bythynnod. 'Annie Morris odw i, aelod o Ferched Byddin y Tir. Sa i'n gwbod os odych chi wedi clywed, ond mae carcharor rhyfel Almaenig wedi dianc o Island Farm a ni'n chwilio amdano...'

Cynhyrfodd y trigolion.

'Bachan tal, gwallt golau yw e. Llygaid glas. Mantell ddu amdano. Bag ar 'i gefn. Oes unrhyw un ohonoch chi wedi gweld dyn felly bytu'r lle?'

Chwyddodd y cynnwrf yn y bythynnod wrth i'r trigolion ddechrau clebran a chlwcian fel gwyddau gan daflu cwestiynau at Annie a'i chriw. Ond daeth hi'n amlwg yn weddol gyflym nad oedd yr un ohonyn nhw wedi gweld dim byd amheus.

'Oes unrhyw un wedi colli cwch 'te?' torrodd llais Annie drwy'r mwstwr. 'Sawl un sydd i fod ar yr afon?'

'Deuddeg!' bloeddiodd rhywun. Yna, bu

tawelwch am ychydig wrth i bawb droi eu sylw tua'r afon.

'Wel, dim ond un ar ddeg alla i weld!' meddai Annie gan gyfrif eto er mwyn bod yn siŵr. Llanwyd yr awyr â chyffro wrth i'r helwyr feddwl fod cwch wedi'i ddwyn.

'Na! Ma un yn y cwt – yn cael ei gywiro…' daeth bloedd arall gan un o'r pysgotwyr.

'O,' daeth siom dros wyneb Annie, ond gorchmynnodd i'r helwyr archwilio'r rhes bythynnod a'r tir o gwmpas yn drylwyr, rhag ofn. Aeth Moi i ganlyn Ifor, Trefor a Carwyn ar hyd y llwybr llithrig lawr i'r cwt trwsio cychod i gael sbec. Cwt sinc coch siâp hanner cylch oedd hwn, â glanfa fechan yn gwthio allan ohono i'r afon. Wrth i'r bechgyn ddechrau busnesu yn y rhwydi a'r cewyll oedd wedi eu bwndelu'n anniben y tu fas, dyma nhw'n gweld ffigwr tal mewn cot oel werdd yn plygu dros gwch rhwyfo yn is i lawr ar lan yr afon.

'Oi!' gwaeddodd Ifor. 'Chi 'di gweld rhwbeth od bore 'ma?'

Atebodd y dyn ddim, dim ond llwytho rhwyfau i mewn i'r cwch.

'Esgusodwch fi?' bloeddiodd Ifor eto.

Anwybyddodd y dyn ef gan geisio gwthio'r cwch rhwyfo drwy'r graean tua'r dŵr.

'Oi!' gwylltiodd Ifor a lledodd ei lygaid yn fawr pan gwmpodd cwfwl y dyn oddi ar ei ben. Roedd ganddo gnwd o wallt melyn.

'Dim . . . Dim . . . Dim hwnna yw'r Almaenwr?' rhythodd Ifor.

'Moi? Fe yw e?' holodd Trefor yn wyllt.

Llanwodd llygaid Moi ag ofn ac aeth Ifor yn benwan.

'Yr Almaenwr!' sgrechiodd. 'Fan hyn! Fan hyn ar bwys y cwt!'

Trodd yr Almaenwr i wynebu'r bechyn wrth i lais Ifor atsain dros bob man. Clodd ei lygaid ef a Moi am ennyd. Yna trodd ar ei sawdl a rhedeg.

15

Tasgai'r graean wrth i'r Almaenwr ruthro ar hyd glan yr afon. Llamodd dros wal gerrig isel a glanio ar y rhiw serth oedd yn arwain o fythynnod y pysgotwyr i brif stryd Aberddu Uchaf. Tasgai ei esgidiau ar y cerrig wrth iddo ruthro tua thop y rhiw a'i wynt yn ei ddwrn, a sgrechiadau Ifor a chriw o helwyr yn llenwi'r aer.

''Co fe!'

'Ar 'i ôl e!'

'Naaawr!'

Erbyn hyn, roedd helwyr yn rhedeg o fythynnodd y pysgotwyr ac yn rhuthro lan y rhiw ac ar draws y caeau ar drywydd yr Almaenwr. Safodd yntau'n stond, fel petai wedi ei hoelio'n yr unfan am eiliad, ei lygaid yn gwibio i bob cyfeiriad mewn braw. Edrychodd lan! Lawr! I'r chwith! I'r dde! Doedd dim dihangfa. Dim. Felly, gwnaeth yr unig beth allai e wneud. Taflodd ei hun i'r gwrych, brwydro drwy'r mieri a glanio'n bendramwnwgl yn y cae ceffylau ar yr ochr draw. Cynhyrfodd y ceffylau gan weryru a neidio ar eu coesau ôl ond rywsut, llwyddodd yr Almaenwr i wau ei ffordd drwyddyn nhw gan osgoi'r carnau oedd yn cael eu cicio a'u taflu i'r entrychion. Rhuthrodd yr helwyr drwy'r gwrych ar ei ôl.

'Glou!'

'Hastwch!'

'Daliwwwch eee...'

Rhedodd yr Almaenwr ar draws y cae a llamu dros y ffens wiail yr ochr bellaf iddo. Glaniodd ar ganol ffordd drol fwdlyd wrth i griw arall o helwyr ymddangos yng ngheg y ffordd gerllaw. Rhuthrodd rheiny ymlaen, gan regi a phoeri, a'u pastynau a phicweirch yn chwifio! Dechreuodd yr Almaenwr gamu am yn ôl wrth i'r gwaed ffrydio i lawr ei wyneb lle roedd y drain wedi torri'i groen. Erbyn hyn, roedd mwy a mwy o helwyr yn dringo dros y ffens wiail y tu ôl iddo. Edrychodd at geg y ffordd eto – yna i'r chwith – cyn gweld bwlch yn wal y capel cyfagos. Rhuthrodd gan ddyrnu drwyddo a dechrau ochrgamu heibio i'r cerrig beddau wrth i fwy a mwy o helwyr ymddangos y tu ôl iddo a llenwi'r fynwent fel ton. Anelodd yr Almaenwr at gefn y fynwent, lle roedd clwyd, ond yna llanwyd honno gan fwy o helwyr hefyd. Stopiodd yn stond, gwneud tro pedol a rhedeg tuag yn ôl ond roedd helwyr yn gylch o'i gwmpas erbyn hyn. Doedd unlle i ddianc. Roedden nhw'n cau amdano. Yn dod yn nes. Ac yn nes. Roedd yn chwilio'n daer am fwlch – unrhyw fwlch – y gallai dorri drwyddo! Gwibiai ei lygaid rownd a rownd y cylch ond doedd dim dihangfa. Dim. Mewn braw, hyrddiodd yr Almaenwr ei hun i ganol yr helwyr gan geisio torri trwyddyn nhw. Crafangodd cawod o ddwylo a breichiau amdano a'i orfodi i'w liniau. Rhwygwyd y got oel werdd oddi ar ei gefn. Am eiliad – hanner eiliad – credai'r giwed ei fod wedi ei ddal. Ac yn yr hanner eiliad honno, rhowliodd yr Almaenwr o afael y dwylo barus. Gwthiodd drwy goedwig o goesau. Yna cododd a rhedeg, gan adael pawb yn syfrdan. Carlamodd yn ei flaen tua wal gefn y fynwent a llamu drosti. Yna rhedodd yr helwyr ar ei ôl yn awchus. Ond pan gyrhaeddon nhw'r wal ac edrych drosti, dyma nhw'n stopio'n stond. Doedd dim golwg o'r Almaenwr. Dim sôn amdano. Yn unman.

'Ble mae e wedi mynd?' holodd Annie.

Dim ateb. Doedd neb yn gallu gwneud

dim ond syllu'n gegrwth lan a lawr y llwybr bychan cul oedd yn rhedeg tu cefn i Gapel Moreia.

'Ble mae e?!' Fflamiodd tymer Annie. 'All e ddim jest diflannu!'

'Na all...' meddai Ifor.

'Na! Dyw e ddim yn neud synnwyr,' llefodd Trefor a Carwyn wrth i wrid cas ledu dros eu bochau.

Ddywedodd Moi ddim byd. Dim ond syllu lan a lawr y ffordd yn syfrdan.

'Rhaid i ni ddal y carcharor!' cynddeiriogodd Annie. 'Rhaid trio 'to! Ewch lan y ddwy stryd! Edrychwch ym mhob tŷ, ym mhob tŷ bach, ym mhob sied! Edrychwch ym mhob twll a chornel! All e ddim bod yn bell! Mae e 'ma yn rhywle! A dwi'n moyn 'i ddal!'

Lledodd yr helwyr mas a dechrau ar eu tasg yn frwd. Dyma nhw'n rhuthro drwy adeiladau, yn trampio trwy erddi, yn croesholi pawb yn rhacs. Rhedodd Moi a'r bechgyn eraill gydag Annie i gyfeiriad yr hen efail. Roedd yr efail ar glo, ond roedd clwstwr o gytiau unllawr isel â thoeau llechen porffor o bob ochr iddi.

'Chwiliwch chi tu fas i'r cytiau! Chwilia i tu fewn!' gorchmynnodd Annie, gan chwipio modrwy o wallt o'i llygaid yn styfnig fel mul.

Gwnaeth y bechgyn yn ôl y gorchymyn a rhannu'n llinell. I'r dde o'r cytiau roedd twlc mochyn wedi'i wyngalchu a swigod paent yn blastar hyd ei ddrws coch. Mentrodd y pedwar sbecian dros y wal, ond y cwbl welon nhw oedd hwch fawr flewog yn bwydo pentwr o berchyll bach newynog. Syllodd yr hwch yn herfeiddiol arnyn nhw cyn rhochian yn hy, felly symudodd y pedwar ymlaen i gael cip ar y trelar oedd wedi'i barcio wrth ymyl yr efail. Roedd hanner y trelar wedi ei orchuddio gan gynfas brown sgleiniog. Sibrydodd Ifor yn dawel bach y gallai'r Almaenwr fod yn cuddio oddi tano. Deallodd y tri arall ac yn araf a gofalus, symudodd y pedwar tua'r trelar a'i amgylchynu. Ar arwydd Ifor, fe godon nhw'r cynfas gyda blaen eu ffyn cyll. Daliodd Moi ei wynt. Ond doedd dim byd yno.

'Ble ma'r pwdryn 'te?!' hisiodd Carwyn wrth i'r pedwar edrych o'u cwmpas.

'Beth am i ni edrych fan 'co...' pwyntiodd Trefor at y domen dail oedd y tu cefn i'r efail.

'Ti'n gwbwl wirion? Fydd e ddim yn cuddio yn honna, siŵr!' atebodd Carwyn.

'Shwt ti'n gwbod? Mae'n rhaid 'i fod e'n rhywle!' meddai Trefor gan frasgamu tua'r domen.

Dilynodd y tri arall ef. Gallai Moi deimlo'r arogl sur yn ei fwrw fel ton. Gwaethygu wnaeth hwnnw wrth iddyn nhw styrbio'r dom â'i ffyn. Cyn bo hir, allai stumog wan Carwyn ddim dioddef rhagor. Taflodd i fyny dros ei esgidiau.

'Ych! Ddywedais i na fydde fe 'ma, yndofe!' meddai, gan edrych yn welw ar Trefor a sychu'i weflau. 'Y mwlsyn!'

'Wel...ro'dd yn werth trio!' atebodd Trefor yn amddiffynnol.

'Wast ar amser!' meddai Carwyn, gan droi ar ei sawdl a cherdded 'nôl i gyfeiriad yr efail i chwilio am Annie.

'Oes gen ti syniade gwell 'te?' gofynnodd Trefor. Ac aeth hi'n dân gwyllt rhyngddyn nhw.

'Oi! Oi! Oi! Dim nawr yw'r amser i gwmpo mas, bois,' dwrdiodd Annie wrth iddi ddod allan o un o'r cytiau.

'Dyw e ddim mewn 'na 'te?' holodd Moi.

'Na! Ac os yw e wedi llithro drwy'n

dwylo ni...' brathodd Annie ei gwefus yn rhwystredig, 'aiff Sarjant Hopcyns yn wallgo!'

Wnaeth yr un o'r bechgyn ddadlau â hi ac anelodd Annie am y cwt coed oedd ar draws y clos. 'Dwi'n mynd i gael sbec yn fan 'na,' meddai dros ei hysgwydd. 'Arhoswch chi ble r'ych chi. Dwy funed fydda i...'

Gwyliodd y bechgyn hi'n croesi clos yr efail a'i gwynt yn ei dwrn.

'Dwi'n ffaelu credu hyn...' meddai Ifor.

'Na fi...' atebodd Trefor.

Torri ei ffon gollen mewn tymer wnaeth Carwyn, wrth i Moi syllu ar ôl Annie. 'Falle dylen i fynd gyda hi...' meddai wrth i ddrws y cwt gau'n glep y tu ôl iddi.

Ar hynny, daeth sgrech.

'Annie?' gwaeddodd Moi. 'Annie? Ti'n iawn?'

Daeth cri fyglyd o grombil y cwt coed a sŵn pren yn chwalu'n yfflon. Croesodd Moi'r buarth fel fflach.

'Annie?' Ymaflodd Moi â bwlyn y drws. 'Annie! Beth sy'n bod?'

Clywodd gri arall o'r tu mewn.

'Ody'r Almaenwr i mewn 'na 'da ti?! Ody e? Agor y drws 'ma!'

Ddaeth dim siw na miw o'r cwt. Ymunodd y tri arall â Moi a dechrau curo a chicio'r drws.

'Annie? Annie!'

Ond roedd hi fel y bedd yn y cwt a'r drws wedi ei folltio o'r tu mewn.

16

'Dyw e ddim yn mynd i'w gadel hi mas, ody fe?' sibrydodd Moi.

'Dyw hi ddim yn edrych fel 'ny...' atebodd Ifor yn ddryslyd, gan sefyll ar flaenau'i draed wrth geisio sbecian trwy ffenest fechan y cwt. Ond roedd honno dan goed ac wedi'i sgriwio'n dynn.

'Beth ti'n feddwl mae e'n mynd i neud â hi?'

'Shwt ydw i fod i wbod?' atebodd Ifor yn bigog. 'Dyma'r peth ola ro'n i'n ddisgwl!'

'Falle 'i fod e'n mynd i'w defnyddio hi fel gwystl?' holodd Trefor. 'Bargeinio gyda hi? Ei defnyddio hi i neud yn siŵr 'i fod e'n gallu dod mas o fan 'na'n ddiogel...'

'Hi yw'r cyfle gore sy ganddo fe i ddianc,' rhesymodd Carwyn. 'A fydd hi'n saff, cyn belled â'i fod e'n cael beth mae e'n moyn...'

'Sef?' holodd Ifor yn swta.

'Dod mas o'r cwt 'na'n ddiogel a dychwelyd i'r Almaen...'

'Ond beth os na chaiff e beth mae e'n moyn?!' meddai Ifor yn araf bach. 'Beth petai e'n ei hanafu hi?'

'Wnaiff e ddim mo'i hanafu hi, siŵr!' ceisiodd Moi argyhoeddi'i hun. 'Wnaeth e ddim anafu Dyfrig na minne, dofe…'

'Hy! Do'dd pawb yn yr ardal ddim yn 'i gwrso fe bryd hynny, Moi! Mae e wedi'i gornelu nawr, on'd dyw e? Mewn perygl. Ac mae pobl mewn perygl yn gallu bod yn beryglus, medde Tad-cu…'

Am unwaith, roedd Tad-cu Ifor yn agos i'w le. Prin y gallai Moi oddef gofyn y cwestiwn nesaf. 'Ti'n meddwl gwnaiff e ddolur iddi?'

'Falle,' atebodd Ifor. 'Neu falle… rhwbeth gwaeth…'

'Bydd dawel, Ifor!' arthiodd Trefor.

'Beth?'

'Dyw gweud pethe fel 'na ddim yn helpu neb. A neb i gynhyrfu nawr, bois…'

'Neb i gynhyrfu! Neb i gynhyrfu!' Roedd Moi ar y dibyn. 'Am beth hollol dwp i weud!'

'Dim ond trio helpu…' meddai Trefor. Ond chlywodd Moi mohono gan ei fod wedi ailddechrau ymosod ar ddrws y cwt â'i ddyrnau.

'Let her out!' sgrechiodd. 'Let Annie out, now!'

Wrth glywed yr holl weiddi, daeth y gof yno ar garlam. Gŵr caled, sgwâr oedd e ac fe gaeodd ei ddyrnau coch yn fygythiol wrth weld Moi'n difrodi ei eiddo. 'Pwy 'ych chi?' bytheiriodd. 'A beth yn y byd sy'n mynd 'mlan fan hyn?'

Llusgodd y bechgyn Moi o'r drws cyn iddo gael clatsien cyn egluro wrtho fod y cwt coed dan warchae a bod Annie'n garcharor i'r Almaenwr y tu mewn. Allai'r gof ddim credu'i glustiau. Llaciodd ei ddyrnau. Yna gwnaeth sefyllfa ddrwg yn waeth o lawer wrth gyfaddef ei fod yn cadw rhywfaint o'i offer gweithio yn y cwt. 'Ma' 'na broceri, pedole a chyllyll hogi mewn 'na...'

'Ma ganddo fe arfe, 'te,' meddai Moi'n dawel wrth iddo sylweddoli oblygiadau'r sefyllfa.

'Oes. Ac ody e wedi bygwth dy fodryb?' holodd y gof. 'Neu ody e wedi gofyn am unrhyw beth?'

'Na. Ddim 'to,' atebodd Moi. 'Ond mae e'n siŵr o neud. A beth wnawn ni wedyn?'

'Rhaid i ni nôl Sarjant Hopcyns!' meddai Ifor. 'Glou!'

'Mae e filltiroedd bant!' gwichiodd

Carwyn. 'Ben arall y dyffryn, yn chwilio am yr Almaenwr…'

'Oes gen ti syniade gwell?'

'Wel…ym…nac oes…' atebodd Carwyn, ei wyneb yn llwydach nag arfer.

'Cer i'w nôl e 'te!'

'Gymrith e oes!'

'Ma 'da fi fan mas ar y stryd,' meddai'r gof. 'Dere grwt! Dere glou!'

Brasgamodd Carwyn i ddilyn y gof ac erbyn iddyn nhw neidio i mewn i'r fan a chwyrnu i lawr y stryd yn gwmwl o fwg teiars yn llosgi a gwynt petrol, roedd gweddill yr helwyr yn cyrraedd clos yr efail. Aeth y si ar led fod rhywbeth ar droed ac roedd y consýrn am Annie'n amlwg ar wynebau'r helwyr. Wyddai neb beth i'w ddweud, na beth i'w wneud. Roedd popeth ar chwâl, ond roedd ysgrifbin Llŷr Elystan ar dân.

'Ers pryd ma' Annie wedi bod i mewn 'na?' gofynnodd wrth Moi.

'Ugain munud…'

'Ody'r Almaenwr wedi gweud rhywbeth? Wedi ceisio siarad â chi?'

'Na…'

'Oes rhywun wedi trio siarad ag e?'

'Na. Ni'n aros i Sarjant Hopcyns gyrraedd...'

'All hynny gymryd ache!' atebodd y newyddiadurwr. 'All unrhyw beth fod wedi digwydd erbyn hynny...'

Gwyddai Moi hyn yn iawn. Cynyddai ei bryder am ei fodryb gyda phob eiliad. Wyddai e ddim beth ar y ddaear i'w wneud. A wyddai neb arall ddim chwaith. Yna, er syndod i bawb, penderfynodd Llŷr Elystan gymryd yr awenau. Gallai hwn fod yn gyfle gwych iddo ymddangos ar dudalen flaen ei bapur ei hun, felly cliriodd ei wddf, sgwario am ddrws y cwt coed a galw am dawelwch. Distawodd pawb fel un.

'You . . . are . . . totally . . . surrounded . . . German!' bloeddiodd Llŷr Elystan yn awdurdodol. 'You...cannot...escape! We know... you have...Annie Morris. And...we want you ...to let her go...'

Daliodd pawb eu gwynt gan ddisgwyl ateb. Ddaeth dim.

'There is no escape, German!' ceisiodd Llŷr Elystan eilwaith. 'And we're appealing to you to let her go...'

Distawrwydd.

'Let her go! Now!' gorchmynnodd eto.

Ond ddaeth dim siw na miw o'r cwt coed ac wrth i'r dorf y tu allan syllu ar ei gilydd yn ansicr, dechreuodd dagrau poeth bigo llygaid Moi. Ei fai e oedd hyn i gyd, meddyliodd. Petai ond wedi dweud popeth am yr Almaenwr wrth ei fam yr eiliad y cyrhaeddodd e a Dyfrig 'nôl o Goed Du, byddai'r Almaenwr wedi cael ei ddal erbyn hyn a fyddai Annie ddim mewn perygl. Ond yn hytrach, roedd wedi dewis gwrando ar Dyfrig a nawr gallai Annie gael ei hanafu. Neu waeth. Allai ddim maddau iddo'i hun petai rhywbeth yn digwydd iddi. Gwyddai na wnâi ei fam na'i dad faddau iddo chwaith. Annie oedd chwaer ieuengaf ei dad, cannwyll ei lygaid; treuliai fwy o amser gyda nhw yn rhif 2 nag a wnâi hi ar ei haelwyd ei hun. Y cof cyntaf oedd gan Moi oedd Annie'n ei wthio i lawr Teras Bryn Bugail mewn pram yn hymian 'Hen Wlad fy Nhadau' iddo. Hi ddysgodd iddo sut i chwarae criced a rygbi. Hi ddangosodd iddo'r lle gorau'n y pentref i hel madarch a mwyar duon. Hi eglurodd iddo sut i wneud awyren bapur a sut i 'sgota dwylo. A nawr roedd ei bywyd hi'n y fantol, a'i fai e oedd hynny. *Bai Moi.* Fe fyddai e'n fodlon gwneud rhywbeth – unrhyw beth i droi'r cloc 'nôl – ond roedd hi'n rhy hwyr. Ceisiodd rwystro'i ddagrau ond sbonciodd dafnau mawr gwlyb i lawr ei fochau. Pasiodd Ifor hances felen chwyslyd o boced ei drywsus bach iddo. 'Fydd popeth yn ocê, mêt...' meddai wrth i Moi gipio'r hances a sychu'i ddagrau'n ffyrnig.

Erbyn hyn, roedd Llŷr Elystan a rhai o'r helwyr yn trafod a allen nhw wthio drws y cwt coed ar agor neu dorri i mewn drwy'r cefn. Ond doedd ganddyn nhw ddim gobaith. Roedd hi'n amlwg i bawb na allai neb fynd i mewn nes i'r Almaenwr benderfynu dod mas.

Yna daeth llais dwfn o grombil y cwt.

'Back!'

Aeth ias o gyffro drwy'r dorf.

'Everyone! Stand back! Away from door!'

'Annie?' bloeddiodd Moi. 'Ti'n dod mas?'

Atebodd hi ddim.

'Annie?!' bloeddiodd Moi eto, ar bigau. 'Wyt ti'n iawn?'

Dim.

'Annie? Ateb!'

Distawrwydd. Ond yn ystod y distawrwydd, camodd pawb 'nôl o ddrws y cwt nes roedden nhw'n sefyll mewn hanner cylch mawr ar y clos. Edrychai pawb ar ei gilydd yn ansicr. Wyddai neb beth i'w ddisgwyl. Roedd annifyrrwch yn yr awyr. Ofn.

Codwyd bollt drws y cwt.

Daliodd pawb eu gwynt.

Yna'n araf – yn araf, araf, araf – agorwyd cil y drws. Allai Moi weld dim drwy'r cysgodion mwll ond wrth graffu i'r gwyll, daeth sŵn rhuo o'r tu mewn. Yn sydyn, saethodd moto-beic mawr du o'r tywyllwch. Annie oedd ar y blaen, ei dwylo wedi eu clymu y tu ôl iddi. Roedd yr Almaenwr ar y cefn. Rhythodd pawb yn syn ar y moto-beic yn rhuo ar draws clos yr efail a dianc am brif hewl Aber-ddu Uchaf.

'Annie!' ffrwydrodd cri o enau Moi. 'Annniiieee…'

Rhuthrodd yr helwyr i lawr yr hewl ar ôl y moto-beic ond doedd ganddyn nhw ddim gobaith o'i ddal. Roedd y bwlch rhyngddyn nhw'n mynd yn fwy ac yn fwy a gallai Moi deimlo pob diferyn o aer yn cael ei sugno o'i ysgyfaint wrth iddo wylio'r moto-beic yn diflannu tua chopa'r bryn. Efallai mai dyma'r tro olaf y byddai'n gweld Annie. Ei annwyl, annwyl fodryb. Allai Moi ddim anadlu. Nofiai popeth o'i flaen. Suddodd i'w liniau...

Yna gwyrth!

Gwelodd gar Sarjant Hopcyns yn gwibio i gwrdd â nhw dros gopa'r bryn. Llanwai'r car y ffordd a gyrrai'r plismon fel gwallgofddyn – yn syth am y moto-beic. Yna breciodd yn ffyrnig cyn dod â'r car i stop sgrechlyd ar draws y hewl. Simsanodd y moto-beic wrth geisio osgoi'r car. Siglodd. Crynodd. Yna cwympodd ar ei ochr a sglefrio dros y tarmac. Taflwyd y ddau deithiwr i'r awyr fel dwy ddoli glwt...

17

Dim ond sŵn tician cyson y cloc mawr ar y wal oedd i'w glywed yn rhif 2 Teras Bryn Bugail wrth i Dyfrig chwarae â'r cig sbam a'r stwnsh tatws ar ei blât.

'Tria fwyta rhywbeth, cyw...'

'Sa i'n moyn e...'

'Wel, beth am ddishgled fach o de?' gofynnodd Glenys Morris gan wthio'r tebot mawr brown dan ei drwyn.

'Na.'

'Cwpaned o laeth?'

'Na.'

'Pam na ei di lan lofft i orffwys, 'te?'

'O Mam! Peidiwch â ffysian!'

'Ddywedodd Doctor Lovel fod yn rhaid i ti orffwys...'

'Dim ond gorffwys dwi'n neud! Gorffwys, gorffwys, gorffwys!' Estynnodd Dyfrig am ei faglau a llusgo'i hun mas o'i gadair. 'A dwi wedi cael llond bola!'

Edrychodd Glenys Morris arno am eiliad gan wybod yn iawn beth oedd yn ei gnoi.

'Paid ti â becso am yr Almaenwr, cyw,' meddai. 'Ddaw e ddim yn agos atat ti 'to…'

'Chi'n meddwl bo nhw wedi'i ddala fe?'

'Na. Neu fydden ni wedi clywed…' Rhoddodd hithau gusan ysgafn ar dalcen Dyfrig a dechrau casglu'r platiau cinio.

'Shhhh…' meddai Dyfrig wrth i'r llestri dincial hyd y bwrdd. 'Beth yw'r sŵn 'na?'

'Pa sŵn?' stopiodd Glenys Morris gasglu'r platiau. Clustfeiniodd. Roedd rhyw sŵn isel i'w glywed yn y pellter. Edrychodd y ddau ar ei gilydd mewn penbleth.

'Beth yw e?'

'Wel, ta beth yw e, mae e'n dod yn nes…'

Roedd sŵn ubain a gweiddi i'w glywed erbyn hyn a thramp-thramp degau o draed.

'Dewch mas i weld!' meddai Dyfrig, gan hercian ar ei faglau drwy'r cyntedd at ddrws ffrynt 2 Teras Bryn Bugail. 'Dewch! Nawr…'

Agorodd y drws a chwyddodd y sŵn. Edrychodd Dyfrig a'i fam lan y stryd a gweld car Sarjant Hopcyns yn gyrru'n araf deg i gyfeiriad Teras Bryn Bugail.

'Maen nhw'n ôl!'

Roedd car Sarjant Hopcyns wedi'i amgylchynu gan dyrfa oedd yn hanner cerdded, hanner rhedeg bob ochr i'r cerbyd, yn chwifio picweirch, bwyeill a ffyn. Roedd cyffro yn yr awyr. Twrw. Tyndra.

'Beth sy'n digwydd?' holodd Dyfrig.

'Sa i'n gwbod, cyw...'

Agorodd drysau eraill y teras fesul un a gallai Dyfrig weld y trigolion yn sbecian yn chwilfrydig wrth i'r dorf drampio tuag atyn nhw.

'Chi'n gweld Moi, Mam?'

Craffodd Glenys Morris nes iddi weld cwmwl o gyrls lliw castan. ''Co fe!' pwyntiodd.

'Moi!' gwaeddodd Dyfrig. 'Moi! Dere 'ma! Beth sy wedi digwydd?'

Adnabu Moi'r floedd a phan welodd Dyfrig a Glenys Morris yn gonsýrn i gyd ar riniog y drws, rhuthrodd draw tuag atyn nhw.

'Beth sy'n mynd 'mlan?' gofynnodd Dyfrig eto'n daer.

'Fuodd 'na ddamwain...'

'Damwain?' meddai Glenys Morris, ei chalon yn cyflymu.

'Nath yr Almaenwr gymryd Annie'n garcharor yn efail Aber-ddu Uchaf,' eglurodd

Moi mewn llais bach, bach, wrth i Dyfrig a'i fam gael cip ar Annie'n mynd heibio yn sedd flaen car y Sarjant a'i hwyneb yn grafiadau i gyd.

'Beth?' holodd Dyfrig mewn sioc.

'Driodd e ddianc ar gefn moto-beic a gorfodi Annie i eistedd ar y ffrynt i neud yn siŵr na fyddai neb yn ymosod neu'n saethu ato...'

'Fe anafodd ei hwyneb hi?' Plymiodd stumog Dyfrig wrth iddo feddwl ei fod wedi gwneud camgymeriad erchyll yn gadael i'r Almaenwr gael ei draed yn rhydd. 'Nath e 'i chlatsio hi?'

Ysgwydodd Moi ei ben. 'Na. Colli rheolaeth ar y beic pan yrrodd Sarjant Hopcyns yn syth amdano nath e. Gafodd Annie ei hanafu pan daflwyd hi oddi ar y beic...'

'Ody hi'n iawn?'

'Heblaw am y cleisie a'r crafiade, ody...'

'Ody'r Almaenwr...yn iawn?'

'Ody. Mae e yng nghefn y car, Dyf.'

'Beth?' fflamiodd tymer eu mam. 'Alle fe fod wedi'i lladd hi! Ac maen nhw'n 'i roi e'n yr un car â hi?!'

'Doedd ganddyn nhw fawr o ddewis. Allen nhw ddim neud iddi gerdded bob cam adref ar ôl popeth mae hi wedi bod drwyddo...'

'Pam na naethon nhw iddo *fe* gerdded!' poerodd Glenys Morris.

Roedd y car yn teithio'n araf i lawr y stryd tua gorsaf yr heddlu ac roedd dyn crwm, melynwallt i'w weld yn glir drwy'r ffenest gefn a heddwas arall wrth ei ymyl. Rhuthrodd Glenys Morris ar ei ôl.

'Dewch!' gorchmynnodd. 'Dewch! Glou! Dwi'n moyn gweld y cythrel 'na'n cael 'i haeddiant!'

Cyn i Dyfrig a Moi allu dweud dim, dyma nhw'n cael eu cario gan y dyrfa oedd yn heidio'n gyffro i gyd i sgwâr y pentref. Wedi cyrraedd yr orsaf, dechreuodd ambell un wthio'n fygythiol yn erbyn y cerbyd, gan fwrw'r ffenestri a gwawdio'r Almaenwr. Roedd rhaid i'r Sarjant frwydro i ddod mas o sedd y gyrrwr a gwthio'r dyrfa o'r neilltu wrth iddo fynd at ochr arall y car ac agor y drws i Annie.

''Nôl! 'Nôl! Pawb 'nôl!' gorchmynnodd wrth iddo wneud lle i Annie gamu allan o'r car. Cododd bloedd o gymeradwyaeth pan lwyddodd hi i wneud hynny ac roedd Llŷr Elystan yn tynnu lluniau fel lladd nadredd. Roedd Annie'n arwres! Rhuthrodd Glenys Morris ati, taflu'i breichiau o'i chwmpas a'i chofleidio'n dynn, dynn.

'Wow, dal sownd!' gwenodd Annie.

'Ti'n iawn?'

'Fel y boi! Heblaw am y crafiade hynod bert 'ma...'

'Alle hwn fod wedi dy ladd di!' trodd Glenys Morris at yr Almaenwr, ei llygaid yn ddwy belen dân.

Edrychodd Dyfrig a Moi ar ei gilydd yn euog – fel cŵn lladd defaid – yna cododd Sarjant Hopcyns y sedd flaen er mwyn i'r Almaenwr ddod mas o gefn y car. Wrth iddo wneud hynny, hyrddiodd y dyrfa yn ei blaen gan hisian a phoeri ac udo am waed. Rhewodd yr Almaenwr. Llanwodd ei lygaid ag arswyd. Crebachodd yn ôl i'w sedd. Pwysai'r dorf yn dynnach o'i amgylch gan fygwth ysgwyd y car.

'Pawb 'nôl!' gorchmynnodd Sarjant Hopcyns, cyn rhoi plwc gadarn i'r Almaenwr a'i lusgo o berfeddion y car gerfydd ei efynnau. Hyrddiodd y dorf ymlaen eto wrth i fforest o freichiau grafangu amdano wrth i

Sarjant Hopcyns geisio agor llwybr iddo tua'r orsaf. Cafodd ei ddyrnu. A'i glatsio. Poerwyd arno.

'Ma hon ar ran 'y mrawd!'

'Ar ran fy mab!'

'Ar ran fy nghefnder!'

'Ac ma hon…am anafu coes Dad!' hisiodd Ifor gan roi cic giaidd i bigwrn yr Almaenwr.

Baglodd yntau a chwympo fel sach o datws i'r llawr. Caeodd y dorf amdano a bygwth ei fygu. Cyrliodd yr Almaenwr yn belen amddiffynnol a rhuodd Sarjant Hopcyns. 'Sa i'n gweud 'to! Sefwch 'nôôôôl! Gwnewch le i'r carcharor gyrraedd yr orsaf!'

Fflamiodd bochau'r Sarjant a sobrodd y dorf. Agorodd llwybr bychan o flaen y plismon a llusgodd yntau'r Almaenwr ar ei draed ac anelu at yr orsaf. Roedden nhw ar fin camu i mewn drwy'r drws glas tywyll, llydan pan wthiodd Glenys Morris ei ffordd drwy'r dorf a bwrw'r Almaenwr ar draws ei foch.

'That's for scaring my sons!' hisiodd.

'Mam! Peidiwch!' gwaeddodd Dyfrig, gan lygadrythu ar yr ôl coch ar wyneb yr Almaenwr.

'Ma'r mochyn yn haeddu popeth mae e'n ei gael!'

'Dyw e *ddim* yn fochyn...' meddai Dyfrig wrth i'r Almaenwr droi i syllu arno ef a Moi. 'Nag yw e, Moi?'

Wyddai Moi ddim ble i edrych wrth i bob llygad yn y Bont-ddu droi i syllu arno.

'Ond roddodd e lond twll o ofan i chi! Eich siarsio i gadw'n dawel!' meddai Glenys Morris.

'Naddo. *Chi* wedodd 'na, Mam. A ma'n bryd i chi glywed y gwir...'

'Paid!' torrodd Moi ar draws Dyfrig.

'Ond dyw e ddim yn haeddu cal 'i drin fel...'

'Paid, Dyfrig!' meddai Moi eilwaith.

'Ond ar ôl beth nath e i ni...'

'Cau dy ben!' rhuodd Moi.

'Beth ti'n feddwl "ma'n bryd i ni glywed y gwir"?' gofynnodd eu mam gan edrych o'r naill i'r llall yn amheus.

'Plîs!' ymbiliodd Moi ar ei frawd i gadw'n dawel.

'Dyfrig!' torrodd Glenys Morris ar draws Moi. 'Y gwir!'

'Dyfrig, paid...' Gallai Dyfrig weld yr

arswyd yn llygaid Moi. Gallai weld yr arswyd yn llygaid yr Almaenwr hefyd.

'Nath e *ddim* ein bygwth ni yng Nghoed Du. Nath e *ddim* mo'n siarsio ni i gadw'n dawel...'

'Ond ro'n i'n meddwl...' dechreuodd ei fam ddweud.

'Dwi'n gwbod beth ro'ch chi'n feddwl, Mam,' meddai Dyfrig, 'ond *ni* adawodd iddo *fe* i fynd...'

Daeth ebychiad o anghrediniaeth o'r dorf.

'Wedi popeth nath e i'n helpu ni, ro'n i'n meddwl 'i fod e'n haeddu cyfle i fynd adref...'

Diflannodd pob diferyn o waed o wyneb Moi wrth i bob llygad yn y Bont-ddu hoelio'u sylw arno fe a Dyfrig.

18

Roedd hi'n bosib clywed pìn yn cwympo.
Yna'n sydyn, saethwyd cawod o enllibion at
Dyfrig a Moi.

'Bradwyr!'

'Cachgwn!'

'Ma nhw'n caru'r gelyn! O blaid yr
Almaenwyr!'

'Na'dyn, siŵr!' meddai Dyfrig yn
amddiffynnol.

'Rhaid bo chi!' poerodd Ifor Jewel y
cyhuddiad tuag atyn nhw, ei lais yn ddryswch
i gyd.

'Na!' mynnodd Moi yn daer. 'Chi ddim yn
deall!'

Ond torrodd Trefor ar ei draws. 'Rhaid bo
chi!'

'Wrth gwrs bo nhw ddim!' meddai eu mam
ac er na wyddai hi beth oedd yn digwydd yn
iawn, lapiodd ei breichiau o gwmpas Dyfrig
a Moi ac roedd hi'n amddiffynnol fel teigres
wrth iddi deimlo'r bygythiad o du'r dorf.

'Pam neud peth mor anghyfrifol?' holodd

Sarjant Hopcyns gan gymryd yr awenau a cheisio tawelu'r dorf.

'Ie,' sibrydodd Glenys Morris. 'Pam, bois?'

'Mae e'n amlwg! Mae *e* wedi'u bwlio *nhw* . . .' meddai Carwyn, gan bwyntio at yr Almaenwr, a'r dicter yn duo'i wyneb. Doedd gan hwnnw ddim syniad beth oedd yn digwydd ond gallai synhwyro'r tyndra.

'Paid â bod yn dwp, Carwyn . . .' meddai Dyfrig.

'Nid *fi* yw'r un twp! Nid *fi* nath adael i'r gelyn ddianc! Nid *fi* yw'r Natsi!'

Roedd y cyhuddiad fel ergyd ar foch Dyfrig a gwelodd Moi'n cilio i gôl eu mam.

'Dyw Moi a fi ddim yn Natsïed chwaith,' meddai Dyfrig yn dawel.

'Chi'n cydymdeimlo â'r Almaenwr!' meddai Ifor yn fileinig. 'Felly mae'n rhaid eich bod chi!'

'Byddai'n well i chi egluro eich hunain yn eitha clou,' gorchmynnodd Sarjant Hopcyns. 'Dwi'n gofyn 'to. Pam naethoch chi roi cyfle i'r carcharor 'ma i ddianc?'

Cymerodd Dyfrig anadl ddofn; llyncodd boer yn galed. Yna ceisiodd egluro. 'Mae'n syml. Fe naethon ni dro da ag e am 'i fod e wedi neud tro da â ni. Sa i'n gwbod beth fydden ni wedi'i neud hebddo fe lan yn y bwthyn. Ro'n i mewn cyment o boen...'

'Do'ch chi ddim yn meddwl y bydde rhywun *arall* wedi eich ffendio chi'n hwyr neu'n hwyrach?' torrodd Sarjant Hopcyns ar draws Dyfrig wrth i Llŷr Elystan nodi pob manylyn yn ei lyfr nodiadau gan bwffian ar y sigarét denau oedd yn hongian o'i wefus isaf.

'Sa i'n gwbod...' cododd Dyfrig ei ysgwyddau a'u gostwng. 'Ond beth dwi *yn* wbod yw 'i fod e wedi'n helpu ni...'

'Felly helpoch chi fe?' holodd Sarjant Hopcyns. 'Y gelyn?'

'Ro'n *ni*'n elynion iddo *fe*! Ond helpodd *e* ni! Ac mae Mam a Dad wedi'n dysgu ni i helpu unrhyw un – 'sdim gwahaniaeth pwy! Yn do, Mam?'

Allai Glenys Morris ddim gwadu, er na wnaeth hi erioed ddychmygu y byddai ei meibion yn helpu *Almaenwr*.

'Naethon nhw ddim mo'ch dysgu chi i helpu'r diafol...' ysgyrnygodd Ifor.

'Dyw e ddim yn ddiafol!'

'Nag yw?'

'Nag yw, Ifor!' atebodd Dyfrig, gan droi

tuag at Annie i geisio profi pwynt. 'Fuodd e'n gas i ti yn yr efail, Annie?'

Ysgydwodd Annie ei phen a gwthio cudyn o'i gwallt melyn modrwyog y tu ôl i'w chlust.

'Beth yn gwmws ddigwyddodd, Miss?' holodd Llŷr Elystan, ei ysgrifbin ar dân. 'Mae'n rhaid 'i fod e wedi bod yn gas? Rhaid 'i fod e...'

'Na,' meddai Annie. 'Ddwedodd e y bydde fe'n gadael i fi fynd unwaith y bydde fe mas o berygl. Ddwedodd e y bydde fe'n 'y ngadel i ar ochr yr hewl gwpwl o filltiroedd o'r efail...'

'Gredest ti fe?' holodd Glenys Morris.

'Dwi'm yn siŵr...'

'Nath e adel i *ni* fynd. Yndofe, Moi?'

Nodiodd Moi a throdd Ifor Jewel a syllu'n faleisus arno. 'Dwi'n ffaelu dy gredu di! Ymuno â ni yn yr helfa! Ar ôl i ti roi cyfle iddo fe ddianc!'

'Ie, Moi! Ni i fod yn ffrindie!' ategodd Trefor.

'Odyn. Felly pam neud peth mor slei?' holodd Carwyn, wedi'i siomi i'r byw.

Syllodd Moi o'r naill i'r llall. Wyddai e ddim sut i egluro.

'O, wedi colli dy dafod nawr, wyt ti?' gwatwarodd Carwyn.

'Roedd ofn arno.' Atebodd Dyfrig dros ei frawd bach. 'Roedd ofn arno fe ddweud dim, rhag ofn i chi droi arno fe...'

'Ti'n gweld bai arnon ni?!' bytheiriodd Ifor.

'Wel, 'sdim bai ar Moi,' meddai Dyfrig. 'Fi berswadiodd e i roi cyfle i'r Almaenwr ddianc.'

'Felly dy fai *di* yw hyn i gyd?' edrychodd Ifor ar Dyfrig a chamu tuag ato. Roedd e'n edrych fel petai'n barod i'w fwrw. 'Y pwdryn!'

'Mae bai ar y ddau ohonon ni,' ffendiodd Moi ei lais yn sydyn o weld bod Dyfrig mewn perygl. Camodd o gôl Glenys Morris, sythu a sefyll ysgwydd yn ysgwydd â'i frawd. 'Felly, gad lonydd i Dyfrig...'

'Ie, 'sdim diben cweryla!' meddai Sarjant Hopcyns.

'Wel, maen nhw'n fy hala i'n dost!' cyhoeddodd Ifor. 'Rhoi cyfle i hwn ddianc a'u tad nhw mas yn yr Almaen yn mentro'i fywyd yn ymladd yn erbyn 'i ffrindie fe!'

Daeth sŵn cefnogol o'r dorf.

'Doedd Dad ddim yn moyn mynd i'r rhyfel

yn y lle cynta!' meddai Moi, wrth i Glenys Morris roi ei llaw ar ei ysgwydd i geisio'i dawelu rhag iddo ddwyn gwarth ar ei dad.

'Wrth gwrs 'i fod e Moi...'

'Nag o'dd! Do'dd e ddim, Mam!' mynnodd Moi. 'Ddim mewn gwirionedd. Fe wedodd e y byddai'n well o lawer ganddo aros gartre'n chware pêl-droed gyda Dyfrig a fi...'

Allai Glenys Morris ddim gwadu mai dyna'r peth olaf ddywedodd Gwilym Morris wrth iddo gwtsho'i fechgyn cyn gadael am y rhyfel. Tawelodd y dorf am eiliad wrth i nifer ohonyn nhw gofio bod eu tadau, meibion a'u brodyr hwythau wedi dweud rhywbeth tebyg. Mynd i ryfel am fod yn rhaid iddo wnaeth Gwilym Morris, fel miloedd ar filoedd o rai eraill. Mynd am nad oedd ganddo ddewis – heblaw bod yn wrthwynebydd cydwybodol – a byddai gwrthod mynd i frwydro dros y wlad a chael yr enw o fod yn ddi-asgwrn-cefn yn uffern ar y ddaear.

'Byddai'n well 'da *fe* fod gartre'n chware pêl-droed gyda'i blant hefyd...' ychwanegodd Moi gan bwyntio at yr Almaenwr. 'Gôli yw e...'

'Ma plant 'da fe?' gofynnodd Glenys

Morris, fel petai hi erioed wedi ystyried hynny.

'Oes. Dau.' atebodd Dyfrig. 'Emil ac Eva.'

Adnabu'r Almaenwr enwau ei blant yn syth, er nad oedd ganddo syniad pam roedd Dyfrig yn sôn amdanyn nhw. Edrychai'n llawn gofid.

'Show the picture of your children...' meddai Dyfrig wrtho.

Llanwyd yr Almaenwr ag amheuaeth. Doedd e ddim yn deall y cais.

'Please. Show them.'

Wyddai'r Almaenwr ddim beth oedd yn digwydd, ond gallai deimlo degau o lygaid yn treiddio trwy'i gorff. Gwyddai hefyd nad oedd ganddo ddewis ond gwneud fel y gofynnwyd iddo. Felly, er gwaetha'r gefynnau oedd yn brathu ei addyrnau, estynnodd yr Almaenwr i'w got ac yn araf a phwyllog tynnodd yr hen gerdyn post melyn allan o'i boced yn ofalus a'i ddangos i'r dorf. Cydiai yn y cerdyn fel petai e'r peth mwyaf gwerthfawr yn y byd.

'Mae e'n gweld'u heisie nhw, fel mae Dad yn gweld ein heisie ni...' meddai Dyfrig. 'Maen nhw'n reit debyg yn y bôn...'

'Dyw dy dad ddim yn Natsi!' hisiodd Ifor.

'Na! Wrth gwrs! Ond tase fe'n cael 'i ddal yn garcharor yn yr Almaen, fydden i ddim yn hoffi meddwl am bobl yn 'i bwno fe, a'i gico a phoeri arno...'

'Na. Na finne,' meddai ei fam, ei hwyneb yn llawn pryder wrth iddi ystyried geiriau Dyfrig. Estynnodd Annie am ei llaw a'i gwasgu. Roedd hi'n amlwg o'r fantell o dawelwch ddaeth dros y dorf fod y geiriau wedi taro deuddeg gyda nifer ohonyn nhw hefyd. Nifer, ond nid pawb.

'Fydde'r Almaenwyr wedi'i ladd e'n syth!' meddai Trefor Tal.

'Wel, 'sdim rhaid i ni ddisgyn i'r un lefel, oes 'na?' holodd Glenys Morris, gan edrych ar Trefor â golwg ryfedd, od yn ei llygaid. Am funud, roedd hi fel petai hi'n bell o'r Bont-ddu. Yn bell o Gymru. Yn bell o Brydain. Roedd hi ar faes y frwydr gyda'i gŵr. Yn gweld y gynnau'n tanio. Yn clywed y gweiddi. Yn arogli'r gwaed. Yna gwthiodd Moi law fach chwyslyd i'w llaw hi a chipiwyd hi'n ôl i'r presennol. Trodd hithau at yr Almaenwr a syllu arno. Cymerodd yntau hanner cam yn ôl, gan feddwl ei bod hi'n mynd i'w fwrw eilwaith. Dangosodd hithau gledrau ei dwylo iddo gan amneidio nad oedd hi am fod yn gas wrtho.

'What is your name?' gofynnodd.

'Werner,' atebodd yr Almaenwr yn ansicr. 'Ludwig Werner.'

'Well, thank you, Ludwig Werner,' meddai Glenys Morris. 'Thank you for helping my sons...'

Syllodd Ludwig Werner arni'n syfrdan. Un funud roedd y fenyw'n ei glatsio; y funud nesaf roedd hi'n dangos y parch mwyaf ato ac roedd y dorf, er yn elyniaethus, yn teimlo'n llai blin. Yn llai bygythiol. Roedd y llanw'n troi ac er na wyddai Ludwig Werner sut na pham, gwyddai mai beth bynnag ddywedodd Dyfrig a Moi wrthyn nhw oedd yn gyfrifol.

'Right, lets get you into the cell...' meddai Sarjant Hopcyns wrth yr Almaenwr, ac fe gamodd Glenys Morris o'r ffordd fel y gallai'r Sarjant ei arwain drwy ddrws yr orsaf heddlu. Fel roedden nhw ar fin diflannu i mewn i'r tywyllwch, stopiodd Ludwig Werner ar hanner cam. Trodd yn ei ôl yn siarp ac edrych i fyw llygaid Dyfrig a Moi.

'Diolc,' meddai'n ei lais dwfn.

Gwenodd y ddau; dwy wên dynn.

'I remember you...' meddai. 'Always. What your names?'

'Dyfrig,' pwyntiodd Dyfrig ato'i hun. 'And this is Moi...'

'Diolc, Dyfrig and Moi...,' meddai'r Almaenwr, yna diflannodd ar ôl Sarjant Hopcyns i grombil gorsaf heddlu Bont-ddu.

*　　　*　　　*

Daeth fan fawr werdd o wersyll carcharorion Island Farm i hebrwng Ludwig Werner yn ôl i'r carchar ac ymhen deuddeg awr, roedd ei gyd-garcharor oedd hefyd ar ffo wedi ei ddal a'i gludo 'nôl i Ben-y-bont ar Ogwr. Roedd hwnnw wedi bod yn cuddio mewn howld cwch bysgota ar lan afon Hafren. Gyda phob un o'r chwe deg saith carcharor yn ôl dan glo, aeth bywyd yn ôl i'w drefn arferol yn Bont-ddu – neu mor arferol ag y gallai fod a'r rhyfel yn Ewrop ar ei anterth.

Roedd hanes dal Ludwig Werner ar dudalen flaen y *Swansea Gazette*. Rhoddodd Llŷr Elystan sylw mawr i'w ran ef ei hun yn ceisio denu Ludwig Werner mas o'r efail yn Aber-ddu Uchaf ac achub Annie. Roedd nodyn yn dweud y byddai Ludwig Werner wedi cael ei ddal yn llawer cynt petai dau fachgen lleol heb adael iddo gael ei draed yn rhydd. Bu Dyfrig yn pendroni'n hir uwch yr erthygl wrth iddo eistedd ar riniog y drws ffrynt yn gwylio Moi a'i fam yn torri gwrych yr ardd.

'Chi'n meddwl ein bod ni wedi neud camgymeriad, Mam?' gofynnodd ymhen hir a hwyr.

'Wel, dwi'n credu y dyle'ch bod chi wedi'i riporto fe'n syth,' atebodd hithau, gan stopio torri'r gwrych a throi i edrych ar Dyfrig.

'Ond chi *yn* deall pam na naethon ni hynny?'

'Odw, cyw. Dwi'n deall. Ond os byddwch chi byth yn yr un sefyllfa eto, cofiwch weud wrtha i'n syth. Dyw pob carcharor rhyfel ddim yn mynd i fod mor ffein â Ludwig Werner...'

Wrth i'r brodyr gnoi cil, roedden nhw'n gallu clywed lleisiau'n agosáu a phêl yn cael ei bownsio'n galed i lawr y ffordd. Roedd Ifor, Trefor a Carwyn yn dod i'w cyfeiriad.

'Ni wedi bennu â'r gwrych nawr, Moi,' meddai Glenys Morris. 'Felly pam nad ewch chi i chware pêl-droed 'da'r bois?'

'All Dyfrig ddim whare…' atebodd Moi gan bwyntio at ei faglau.

'All e ddod lawr i'r sgwâr i wylio…'

''Sdim whant whare pêl-droed arna i…' meddai Moi.

'Ti! Ddim whant whare pêl-droed! Cer o'ma! Ti wastad ishe whare pêl-droed!'

'Ddim heddiw…'

Cerddodd Ifor, Trefor a Carwyn yn syth heibio iddyn nhw gan eu hanwybyddu'n llwyr. Deallodd Glenys Morris pam fod Moi mor gyndyn.

'O, mae'r bois yn dal i'ch hanwybyddu chi, odyn nhw?' ochneidiodd.

'D'yn nhw ddim yn moyn dim byd i'w wneud â ni,' meddai Moi yn dawel.

'O, ddown nhw at eu coed…'

'Sa i'n credu 'ny, Mam,' ychwanegodd Dyfrig.

'Wrth gwrs y down nhw!' twt-twtiodd hithau. 'Chi'n ffrindie!'

'O'n ni'n ffrindie,' cywirodd Dyfrig hi.

'A byddwch chi'n ffrindie 'to…'

'Chi'n meddwl?' gofynnodd Moi'n obeithiol.

'Os ydyn nhw'n ffrindie gwerth 'u cael,

wnawn nhw ddeall pam naethoch chi beth naethoch chi…'

'Ddywedon nhw na fydden nhw *byth* yn deall! Na fydden nhw *byth* yn maddau i ni…'

'Rhowch amser iddyn nhw,' meddai eu mam.

'Beth os na fyddan nhw ishe bod yn ffrindie byth eto?' holodd Moi yn boenus.

'Wel, weithie, mae 'na bris i'w dalu wrth neud beth chi'n feddwl sy'n iawn,' gwenodd eu mam yn gam. Ac wrth i'r brodyr ystyried yr hyn ddywedodd hi, daeth sŵn chwiban llon lawr yr hewl tuag atyn nhw.

'Iw-hw!' Ymddangosodd Annie rownd y gornel, a gwên fel y gwanwyn ar ei hwyneb. Roedd ei sgrepan yn hongian dros ei hysgwydd a thynnodd gwningen fawr braf o'i chrombil. 'Reit, pwy sy ffansi cawl cwningen i ginio heddi?' gofynnodd.

'O, bendigedig!' meddai Glenys Morris. 'Mynd i hwylio cinio o'n i nawr…'

'Well i mi flingo hon yn glou 'te!' lledodd gwên Annie ac anelodd y tri arall ar ei hôl wrth iddi frasgamu tua'r gegin.

Rhoddodd Glenys Morris ddŵr i ferwi ar y tân a dechreuodd grafu tatws a moron wrth i Annie roi min ar gyllell a dechrau diberfeddu'r gwningen yn gelfydd. Gwyliodd Moi'r ddwy wrthi fel lladd nadredd.

'Trueni na fydde Dad 'ma,' ochneidiodd. 'Cawl cwningen yw 'i ffefryn e...'

'Fe ddaw'r hen ryfel 'ma i ben cyn bo hir,' cysurodd Annie ef.

'Ti'n meddwl, Annie?'

'Dyna maen nhw'n 'i weud ar y weiarles. A maen nhw'n gweud ein bod ni'n mynd i roi chwip din go iawn i'r Almaen 'fyd...'

'Croesi bysedd,' meddai Dyfrig.

'Croesi popeth,' ategodd Moi. 'Gaiff Dad ddod adre'n saff wedyn. A gaiff e gawl cwningen i ginio...'

'Caiff. Ac fe gaiff Ludwig Werner fynd adre'n saff at 'i blant ynte,' meddai Dyfrig.

'Gobeitho,' cytunodd Moi.

'Ie, gobeitho...'